TROED YN ÔL A THROED YMLAEN: DAWNSIO GWERIN YNG NGHYMRU

A STEP IN TIME : FOLK DANCING IN WALES

Emma Lile

Amgueddfa Werin Cymru
Sain Ffagan

Museum of Welsh Life
St Fagans

AMGUEDDFEYDD AC ORIELAU CENEDLAETHOL CYMRU
NATIONAL MUSEUMS & GALLERIES OF WALES
1999

© Cyhoeddwyd gyntaf ym 1999
gan Amgueddfa Genedlaethol Cymru, Parc Cathays, Caerdydd

ISBN 0 7200 0474 8

Cyfieithydd: Howard Williams
Dylunio a Chynhyrchu: Arwel Hughes
Argraffwyd yng Nghymru gan

Dymuna'r awdur ddiolch i'r canlynol am eu caredigrwydd yn
caniatau i'w lluniau gael eu hatgynhyrchu yn y gyfrol hon:

Cwmni Dawns Werin Caerdydd; Dwy Droed Chwith; Ffidl Ffadl; Dawnswyr Môn; Dawnswyr Nantgarw; Llyfrgell Genedlaethol
Cymru / The National Library of Wales; The Western Mail; Felicity Blake; E. Emrys Jones; Dafydd Palfrey; Owen Huw Roberts;
Alice E. Williams

© First published in 1999
by the National Museum of Wales, Cathays Park, Cardiff

ISBN 0 7200 0474 8

Translator: Howard Williams
Design and Production: Arwel Hughes
Printed in Wales by Mid Wales Litho

The author wishes to thank the following for kindly allowing
their photographs to be reproduced in this volume:

Cynnwys

Contents

Dawnsio i gyfeiliant telyn o bosibl, mewn cerfwaith pren dyddiedig
tua 1800 yn y Coach and Dogs Restaurant, Croesoswallt.

A woodcarving at the Coach and Dogs Restaurant, Oswestry, dating
from around 1800 and probably depicting a harpist at a dance.

Rhagair

Sail bennaf y cyhoeddiad hwn yw'r ymchwil a wnaed yng nghyswllt yr arddangosfa ddawnsio gwerin 'Troed yn Ôl a Throed Ymlaen', a gynhaliwyd yn Amgueddfa Werin Cymru, Sain Ffagan, o fis Mehefin 1997 hyd fis Mai 1998. Daw'r deunydd o amrywiol ffynonellau, yn ddogfennau hanesyddol a llawysgrifau ar y naill law ac yn dystiolaeth gyfoes ar y llall, gan gynnwys cyfweliadau gyda chynrychiolwyr o blith rhai o'r gwahanol grwpiau dawnsio gwerin sydd ar waith trwy Gymru heddiw.

Priodol iawn yw'r ffaith bod dyddiad cyhoeddi'r gyfrol hon yn cyd-daro â hanner canmlwyddiant sefydlu Cymdeithas Ddawns Werin Cymru, sydd er 1949 wedi llwyddo i drawsnewid gweithgaredd a oedd o fewn dim i farw o'r tir yn grefft boblogaidd, eang ei hapêl ag iddi ddyfodol llewyrchus.

Diolch
Mawr yw fy nyled i'r bobl hynny a fu mor garedig â rhoi cymorth i mi wrth baratoi'r gyfrol hon, ac yn arbennig i:

Dr Beth Thomas; arni hi yr wyf wedi dibynnu am gyngor ar strwythur cyffredinol y gyfrol a'r dull o'i chyflwyno,

D. Roy Saer; roedd ei wybodaeth eang am y maes a'i drafodaethau yn hynod o werthfawr,

fy nhad, Brian Lile, a fu'n ddiflino wrth ddarllen pob drafft o'r testun.

Introduction

This publication is based primarily on research conducted in connection with the folk dancing exhibition 'A Step in Time', held at the Museum of Welsh Life, St Fagans, between June 1997 and May 1998. Material has been gathered from various sources, ranging from historical documents and manuscripts to contemporary evidence, including interviews with representatives from present-day groups throughout Wales.

It is most appropriate that the publication date of this volume coincides with the fiftieth anniversary of the formation of the Welsh Folk Dance Society, which since 1949 has succeeded in transforming a once ailing activity perilously close to extinction into a widely enjoyed popular art form destined for a prosperous future.

Acknowledgements
I am indebted to all those who have kindly assisted in the preparation of this volume, and in particular:

Dr Beth Thomas, on whom I have depended for advice on overall presentation and structure,

D. Roy Saer, whose knowledge of the field and enlightening discussions proved invaluable,

my father Brian Lile, who tirelessly proofread every draft of the text.

'Canu gyda'r Delyn a Dawnsio': Peter Roberts,
The Cambrian Popular Antiquities of Wales (Llundain, 1815).

'Singing to the Harp and Dancing': Peter Roberts,
The Cambrian Popular Antiquities of Wales (London 1815).

Pennod 1.

Troed yn Ôl

Chapter 1.

A Step Back

The Welsh are generally very good dancers, and are very fond of it ...

The Gentleman's Magazine (1819)

Ers cyn cof, mae dawns wedi chwarae rhan amlwg ym mywydau hyd yn oed y cymunedau mwyaf cyntefig, ac amhosibl bron yw dychmygu byd heb ei lliw, egni a bywiogrwydd. Swyddogaeth ddynol sylfaenol yw symudiad, ac mae dawns, o arferion seremonïol pobl Oes yr Efydd ym Morgannwg[1] a defodau ffrwythlondeb yr hen Roeg i chwyrlïo chwim y disgo modern, yn gallu mynegi teimladau ac emosiynau dwys. Er bod dawns erbyn heddiw yn weithgarwch hamdden, yn bennaf, nad yw'n cael ei berfformio at ddibenion crefyddol neu ddefodol, mae'n parhau i ffynnu mewn gwareiddiad sy'n troi'n fwyfwy trefol. Bu dawnsio gwerin traddodiadol, yn arbennig, a drosglwyddwyd ar lafar a thrwy esiampl o'r naill genhedlaeth i'r llall, yn rhan anhepgor o ddiwylliant cenedl. Yng Nghymru, er i ddawns wynebu cyfnod anodd a bron â darfod, mae bellach yn mwynhau poblogrwydd newydd ac yn mynd o nerth i nerth.

O ystyried hanes lliwgar ac amrywiol dawnsio gwerin Cymru, syndod braidd yw iddo gael ei esgeuluso i raddau helaeth yn y llenyddiaeth frodorol. Gan fod dawnsio cymdeithasol, tymhorol ac unigol yn boblogaidd i ryw raddau neu'i gilydd hyd at ddiwedd y bedwaredd ganrif ar bymtheg, gall y prinder cyfeiriadau ysgrifenedig awgrymu bod dawnsio, yr un fath â chwaraeon, gêmau a ffurfiau eraill ar ddifyrrwch, yn cael ei ystyried yn rhy ysgyfala i haeddu sylw difrifol.

Credir mai Giraldus Cambrensis yn ei *Itinerarium Cambriae* ('Taith drwy Gymru') ym 1188 sy'n gwneud y cyfeiriad ysgrifenedig cynharaf at ddawns yng Nghymru, yn ei ddisgrifiad o ŵyl iachaol Sant Almedha mewn mynwent yn sir Frycheiniog, defod a fu'n amlwg yn brofiad syfrdanol iddo:

Since time immemorial, dance has played a prominent role in the lives of even the most primitive of communities, and a world without its colour, energy and vibrancy is almost unimaginable. Movement is a basic human instinct, and dance, from the ceremonial tramplings suggested by circles in Bronze Age barrows in Glamorgan[1] and the crop-promoting fertility rites of ancient Greece to the gyrations of modern discotheques, is capable of expressing intense feelings and emotions. While dancing is now rarely performed for religious or ritual purposes, it continues to flourish in an increasingly urbanized civilization. Traditional folk dancing, in particular, the steps of which have been transmitted orally and by demonstration from one generation to the next, has formed an integral part of a nation's culture. In Wales, despite having experienced difficult times and a real threat of extinction, folk dancing now enjoys a resurgence in popularity that shows no sign of waning.

Considering the colourful and varied history of Welsh folk dancing, its general neglect in native literature is rather surprising. Since social, seasonal and solo dancing were in evidence until the end of the nineteenth century, the paucity of written references might indicate that dance, like sports, games and other forms of merriment, was deemed too frivolous to merit serious attention.

Giraldus Cambrensis' *Itinerarium Cambriae* ('Itinerary through Wales') of 1188 is believed to provide the earliest extant written record of dance in Wales in his description of the curative festival of Saint Almedha in a Breconshire churchyard, when the effects of the ritual proved quite overwhelming:

You may see men or girls, now in the church, now in the churchyard, now in the dance, which is led round the churchyard with a song, on a sudden falling to the ground as in a trance, then jumping up as in a frenzy, and representing with their hands and feet, before the people, whatever work they have unlawfully done on feast days ...[2]

Difyrwch y glowyr: Stepio
Amusement of the colliers: Stepping
Illustrated London News (1873).

Cafwyd dawnsio yr un mor egnïol a bywiog yn ystod twrnamaint yn Nefyn, Sir Gaernarfon, ym 1284, a gynhaliwyd i ddathlu buddugoliaeth Edward I dros Llywelyn ap Gruffydd ddwy flynedd ynghynt. Tra oedd y Cymry'n cofio'r achlysur â diflastod, bu dathliadau'r Saeson yn un o'r siambrau uwch mor wyllt fel y cwympodd y llawr! [3] Mae beirdd Cymraeg o'r bedwaredd ganrif ar ddeg a'r bymthegfed ganrif yn crybwyll dawnsio yn eu cerddi,[4] ac o'r bymthegfed ganrif o leiaf dechreuodd dawns fywiocáu'r wylmabsant flynyddol a oedd wedi'i chysegru i sant y plwyf, a hefyd ffeiriau a gwyliau tymhorol, megis Calan Mai a Gŵyl Ifan.

Mae teithlyfrau a ysgrifennwyd ar ddiwedd y ddeunawfed ganrif yn cadarnhau bod dawnsio'n parhau'n boblogaidd ymysg y werin bryd hynny. Yn ôl Thomas Pennant, yn ei ddisgrifiad o'i daith drwy ogledd Cymru ym 1773:

Equally vigorous and lively dancing took place at a tournament at Nefyn, Caernarvonshire, in 1284, in honour of Edward I's victory over Llywelyn ap Gruffydd two years earlier. While the Welsh rued their defeat, the English commemorated the occasion so wildly in an upper chamber that the floor collapsed![3] Welsh bards of the fourteenth and fifteenth centuries mention dance in their poetry,[4] and from at least the fifteenth century dance could enliven an annual *mabsant* festival dedicated to the parish saint, and also seasonal fairs and festivals such as May Day and Midsummer.

We know that dancing was still enjoyed by the common people during the late eighteenth century from several references by travel writers of the time. According to Thomas Pennant, on his tour of north Wales made in 1773:

Some vein of the antient minstrelsie is still to be met with in these mountainous countries. Numbers of persons, of both sexes, assemble, and sit around the harp, singing alternately pennills, or stanzas of antient or modern poetry. The young people usually begin the night with dancing, and when they are tired, sit down, and assume this species of relaxation.[5]

Ceir un o'r disgrifiadau mwyaf bywiog o ddawnsio Cymreig y cyfnod yn *A Walk through Wales* gan y Parchedig Richard Warner, a fu'n dyst, ym mis Awst 1798, i *'genuine Welsh Ball'* yn ystafell hir tafarndy ym Mhontneddfechan, yng Nghwm Nedd. Wedi'u cyfareddu gan yr adloniant a ddarparwyd, roedd yr awdur a'i gyfeillion yn hollol barod i ymuno yn yr hwyl:

One of the most vivid accounts of Welsh dancing of the period appears in 'A Walk through Wales' by the Reverend Richard Warner, who, in August 1798, witnessed a 'genuine Welsh Ball' in the long room of a public-house at Pontneathvaughan, in the Vale of Neath. Captivated by the entertainment provided, the author and his party would happily have joined in:

... had there not been a powerful reason to prevent us - our complete inability to unravel the mazes of a Welsh dance. 'Tis true there is no great variety in the figures of them, but the few they perform are so complicated and long, that they would render an apprenticeship to them necessary in an Englishman ...On a sudden the dance ceased, and the harper, running his finger rapidly down the chords of his instrument, gave the accustomed signal, on which every gentleman saluted his partner three or four times with considerable ardour. The dancing then re-commenced with such spirit, as convinced us that this interlude had added to the energies of all the parties concerned ... The ball was concluded by a contest of agility by two brothers, who danced two distinct hornpipes with so much power and muscle, variety of step, and inflexible perseverance, as exceeded every thing of the kind we had seen.[6]

Efallai bod ein diffyg gwybodaeth am ddawnsio Cymreig traddodiadol yn yr hen amser yn adlewyrchu'r ffaith mai'r dosbarthiadau uchaf, a fuasai'n fwyaf tebygol o gyfeirio at ddigwyddiadau pob dydd o'r fath mewn llythyrau neu ddyddiaduron, oedd yr union bobl a geisiai ymbellhau rhag adloniant cyffredin. Talai'r boneddigion i fynychu dawnsfeydd dan do a drefnid yn arbennig ar eu cyfer. Câi dawnsio gwledig y werin ei ddiystyru a phrin iawn oedd yr ymdrechion i'w gofnodi.

Perhaps the lack of information about Welsh traditional dance in former times reflects the fact that the upper classes, who were most likely to have referred to daily events in letters or diaries, were the very people who sought to distance themselves from common entertainment. They would have attended the exclusive indoor dances where entrance fees would have prevented the poor from gaining access. Meanwhile the country dancing of the peasantry continued unheralded and largely unrecorded.

Ffair Aberystwyth, 1797. Sylwer ar y delyn a'r ffidil, y ddau offeryn amlycaf
yng ngherddoriaeth boblogaidd Cymry'r 18fed ganrif.

Aberystwyth Fair, 1797. Note the harp and fiddle, the two instruments which
dominated Welsh popular music-making in the 18th century.

Pennod 2.
Mabsant a Thaplas

Chapter 2
Wakes and Revels

We were diverted for two houres with a ball, which is the constant practice on all Holy-days; when wenches and fellows meet six miles round at least and get a Crowdero, Anglice a Fidler, and claw it away with dancing &c.

J. Verdon, yn sôn am daith drwy Gonwy, 1699 (Llsgr. 4.370, Llyfrgelloedd De Morgannwg, Y Llyfrgell Ganolog, Caerdydd)

J. Verdon, journeying through Conwy, 1699 (MS 4.370, South Glamorgan Libraries, Central Library, Cardiff)

Un o'r achlysuron dawnsio y gwyddom fwyaf amdano oedd y dathliad mabsant blynyddol a oedd yn gysylltiedig â dygwyl sant y plwyf. Hon oedd yr ŵyl fwyaf poblogaidd yn y calendr Cymreig am ganrifoedd lawer. O'i darddiad crefyddol yn yr Oesoedd Canol, daeth y mabsant yn gyfystyr â dathlu pan ddefnyddiwyd y term 'gwylmabsant' gyntaf gan y bardd Lewys Glyn Cothi (*c.* 1420-89) wrth glodfori cyfeddach ei noddwyr tua 1470.[1] Mae ei gyfoeswr Gutun Owain (*fl.* 1450-98) hefyd yn coffáu'r gwleddoedd moethus a gynhelid ar y dyddiau gŵyl hyn.[2] Yr un fath â'r *wake* Seisnig, datblygodd yr wylmabsant yn ŵyl gyhoeddus seciwlar o adloniant a gwledda a barhâi am wythnos weithiau. Yn ystod y ddeunawfed ganrif a'r bedwaredd ganrif ar bymtheg roedd y gwylmabsantau mor boblogaidd fel y bu'n rhaid paratoi gwelyau dros dro i'r torfeydd a deithiai bellter maith i fwynhau'r rhialtwch.[3] Rhoddai'r achlysuron hyn gyfle i berchenogion tafarndai wneud rhagor o arian drwy greu atyniadau newydd, megis yng ngwyliau Saint Andras (1714) a Sain Ffagan (*c.* 1726), a gwyddys hefyd iddynt ofyn am danysgrifiadau tuag at y gwobrau, megis yng nghampau Mynydd y Pysgodlyn yn Llangyfelach, ger Abertawe, ym 1780.[4]

Roedd rhai gwylmabsantau yn enwog am safon uchel eu dawnsio cymdeithasol. Yng Nghaergybi, Môn, ym 1754 rhoddwyd sgarff sidan yn wobr i'r dawnsiwr gorau,[5] ac ym 1805 awgrymodd rhywun o'r enw J. Price o sir Faesyfed mai'r arfer o ddawnsio'n rheolaidd a oedd yn gyfrifol am ymddygiad rhagorol y dathlwyr Cymreig.[6] Yn ôl John Thomas, tad y telynor John Thomas ('Pencerdd Gwalia', 1826-1913), roedd rhai dynion mor ddeheuig fel y gallent jigio 'i drwch y blewyn'[7] yn ystafell hir y dafarn leol i sŵn y delyn a'r crwth. Yn Nhaplas Morgannwg, a gynhaliwyd hyd ddechrau'r bedwaredd ganrif ar bymtheg, dawnsio gwlad oedd y prif atyniad, a byddai dros ugain pâr yn

One of the best-documented occasions for dancing was the annual *mabsant* celebration associated with the parish saint's day, for many centuries the most popular festival in the Welsh calendar. From its religious origins in the Middle Ages, the *mabsant* became synonymous with celebration when the term *gwylmabsant* was first used by the poet Lewys Glyn Cothi (*c.* 1420-89) as he enthused over the revelry of his patrons *c.* 1470.[1] His contemporary Gutun Owain (*fl.* 1450-98) similarly commemorated in his verse the lavish banquets of such holy days.[2] Like its English equivalent, the wake, the *mabsant* developed into a secularised public holiday, sometimes a week long, of recreational pursuits interspersed with feasting. Over the years the connection with the patron saint was lost, and the word *mabsant* was often used for any kind of festive gathering, including the *taplasau haf* (assemblies of dance and song) held at most weekends during the summer months. During the eighteenth and nineteenth centuries *mabsantau* were so popular that improvised beds were often constructed to accommodate the increasingly large crowds who travelled long distances for the festivities.[3] Publicans capitalized on the extra income they generated by creating new attractions, such as the St Andrews (1714) and St Fagans (*c.* 1726) revels, and were also known to ask for subscriptions towards the prizes, as at the Mynydd y Pysgodlyn sports at Llangyfelach, near Swansea, in 1780.[4]

Mabsantau were sometimes renowned for their high standards of social dancing. At Holyhead, Anglesey, in 1754 a silk scarf was awarded to the best dancer,[5] and in 1805 one J. Price of Radnorshire imputed the generally excellent behaviour of Welsh revellers to the 'frequent practice of dancing'.[6] According to John Thomas, father of harpist John Thomas ('Pencerdd Gwalia', 1826-1913), some male dancers were so skilful

cymryd rhan yn yr hwyl yn ystafelloedd cynnull y tafarndai, gyda:

that they jigged 'to the breadth of a hair'[7] in the long room of the local tavern, to the sounds of harp and *crwth*. At the Glamorgan Revel, held until the early nineteenth century, country dancing was the main attraction, when over twenty couples took part in the assembly rooms of the taverns, with:

... both mind and body, for the time, abandoned wholly to the pleasurable work. The tunes are fast and furious, and become more so as the dance progresses and nears to its end. Time is kept to perfection, and the scene looked at from the end of the room is invigorating, joyous and lively in the extreme.[8]

Teithiai cerddorion crwydrol o ŵyl i ŵyl i gyfeilio'r dawnsio, gan gynnwys un telynor o Forgannwg y dywedir iddo ddilyn yr un llwybr am drigain mlynedd![9] Roedd poblogrwydd y crwth a'r bib wedi pylu, a ffidlwyr a thelynorion oedd yr offerynwyr gan amlaf. Yng ngŵyl Llanigon, yn sir Frycheiniog, a gynhelid ar 20 Medi ym mlynyddoedd cynnar y bedwaredd ganrif ar bymtheg:

Itinerant musicians travelled from one festival to the next to accompany the dancing, including one Glamorgan harpist who allegedly followed the same route for some sixty years![9] Fiddlers and harpists were the most frequent performers, having largely superseded crowthers and pipers. At the Llanigon feast, in Breconshire, which took place on 20 September early in the nineteenth century:

... all the women and children joined in the festivities, and all indulged in dancing to the strains of the harp and the fiddle ...The feast was kept up for a whole week. On Monday and Tuesday the riff-raff danced at the two public-houses; and on Wednesday night the farmers' sons and daughters had a great ball.[10]

Yn ogystal â'r ŵyl, câi dawnsfeydd eraill eu cynnal, i gyfeiliant y ffidil yn unig, bob tri mis yn y plwyf hyd tua 1830. Roedd y rhain, a gynhelid ar nos Lun, yn boblogaidd iawn, yn enwedig ymhlith parau priod:

In addition to the feast, quarterly dances were also held in the parish until about 1830, when only fiddlers were in evidence. Held on Monday evenings, these dances were well patronised, especially by married couples:

They had 'Bonnets of Blue', 'Swansea Hornpipe', and 'The Cushion Dance'. For this last one, a young man and a young woman kneeled down on the cushion, and kissed one another before every one, and they always locked the door, else the girls would be running out. The fiddler would lock the door to have his sixpence or threepence all round.[11]

Ffidlwyr oedd y cerddorion hefyd yng ngwylmabsant Dolhiryd, Llangollen, a ddisgrifir mewn llawysgrif gan John Hughes (ganwyd 1802):

Fiddlers were again in attendance at the Dolhiryd *mabsant*, Llangollen, as described in a manuscript by John Hughes (born 1802):

... Mae genyf gof tywyll o weled Dynion yn llewys eu crysau mainion, a rhaini wedi ei haddurno a ribbanau o wahanol liwiau, ac yn rhosynau o bennau ei gliniau i fynu i'w hetiau; Yr oeddynt yn eu slippers, a chanddynt ddau neu dri o ffidlers. Byddai y rhai hyn (y Morris dance[r]s,) yn mynd o dŷ i dŷ, lle y caent dderbyniad; i ganu ac i ddawnsio, ac i feggio arian cwrw. Ar y cae yn agos i Talygarth isa yr oedd y rhai a welais i. Tŷ iawn at beth fel hyn oedd Talygarth.[12]

I ... have a hazy recollection of seeing men in their linen-shirt sleeves, and those decorated with ribbons of different colours, and covered with roses from their knees up to their hats. They were in their slippers, and had two or three fiddlers with them. These (the Morris dance[r]s) went from house to house, where they might get a welcome, to sing and dance, and to beg beer-money. The ones that I saw were on the field by Talygarth Isa. Talygarth was an ideal house for this sort of thing.[12] [Translated from the Welsh]

Yn anffodus, wrth i'r gwylmabsantau dyfu, cafwyd cynnydd hefyd mewn twrw a therfysg a arweiniodd yn y pen draw at eu dirywiad a'u tranc. Daeth y cyhoedd i'w cysylltu â'r hapchwarae, yfed a thrais a oedd yn

Unfortunately, as *mabsant* festivities grew in scale, so did an accompanying gambling, drinking and violence which finally caused their decline and eventual demise. The presence of large crowds frequently led to

nodweddiadol o'r rhan fwyaf o ddifyrion athletaidd. Roedd y torfeydd mawr yn gyfrifol am ymladd mynych, gan ddwyn anfri ar y plwyf a pheri i rai alw am fesurau brys i'w gwahardd. Yn ystod ei bum mlynedd (1852-7) yng Nghapel Croes-y-parc, Llanbedr-y-fro, Morgannwg, ymgyrchai'r Parchedig David Davies yn ddiwyd i roi terfyn ar bob difyrrwch seciwlar, gan lwyddo i ddiddymu'r wylmabsant leol oherwydd '*parents expected no obedience from their children, and masters little work from their servants until the festivities were over. This custom was a source of corruption to local youth*'.[13] Câi perchenogion tir eu hannog gan yr awdurdodau lleol i atal eu gweision rhag mynychu'r gwylmabsantau a gwyliau eraill, rhag ofn terfysg, tra collfarnwyd anfoesoldeb y gwyliau Sul mewn deiseb a gyflwynwyd ym 1840 yn Henffordd a fyddai, mae'n siwr, wedi cael dylanwad dros y ffin yng Nghymru.[14] Sefydlwyd y Gymdeithas er Gwahardd Gwylmabsantau'r Sul, a oedd yn weithgar o'r 1840au ymlaen, gyda'r bwriad o roi pen ar yr ymddygiad afreolus a oedd yn gysylltiedig â'r dathliadau hyn, ac erbyn diwedd y ganrif nid oedd ond ychydig o bentrefi yn parhau i'w cynnal.

brawling, irretrievably damaging the reputation of the parish and necessitating urgent measures for their suppression. During his five years (1852-7) at Croes-y-parc Chapel, Peterston-Super-Ely, Glamorgan, the Reverend David Davies, campaigning diligently for the banning of all secular diversions, succeeded in quashing the 'hellish jubilee' of the local *mabsant*, when 'parents expected no obedience from their children, and masters little work from their servants until the festivities were over. This custom was a source of corruption to local youth'.[13] Landowners were encouraged by local authorities to forbid their servants from attending the wakes and feasts, to forestall the possibility of rioting, while a Hereford petition of 1840, the influence of which would surely have been felt over the border in Wales, denounced Sunday feasts as 'hot-beds of immorality'.[14] Active during the 1840s and beyond, the Society for the Suppression of Sunday Wakes was formed with the intention of outlawing the associated unruly behaviour, and few villages were still staging such festivals by the end of the nineteenth century.

Argraff arlunydd o ddifyrrwch yr hen ffeiri (o gasgliad T.C. Evans, 'Cadrawd').
An artist's impression of an old style fair (from the collection of T.C. Evans, 'Cadrawd'),

'Dancing on the Green'
- llin-ysgythriad gan C. Cullen.
- a line-engraving by C.Cullen.

Dawnsio Tymhorol

Ladal-i a ladal-o
A ladal gawsom fenthyg!
Cynffon buwch a chynffon llo
A chynffon Rhisiart Parri'r go'!
Hwp, dyna fo!

Isaac Owen Jones, Llanasa, sir y Fflint,
tâp AWC 1389, recordiwyd 1966

Cyn i'r Chwyldro Diwydiannol fwrw ei gysgod dros y flwyddyn amaethyddol, roedd perthynas agos iawn rhwng dawnsio a gwyliau blynyddol megis y cynhaeaf, Calangaeaf a'r Calan. Serch hynny, yn ystod y misoedd cynhesach yr oedd dawnsio'n fwyaf poblogaidd. Yn ogystal â'r dathliadau Calan Mai a Gŵyl Ifan a gynhelid ar draws Cymru, ffynnai digwyddiadau cerddorol awyr agored, a elwid yn daplasau haf yn y de a thwmpathau chwarae yn y gogledd, drwy gydol misoedd yr haf. Deilliai'r rhiatlwch Calan Mai o'r *Floralia*, gŵyl Rufeinig gyn-Gristnogol wedi'i chysegru i'r dduwies Flora. Y sail i'r dathliadau oedd symbol ffrwythlondeb hynafol, y fedwen haf neu fedwen Mai. Credai'r Cymry fod gan bren y fedwen rym gwarchodol ac roedd yn arfer ganddynt ei anfon fel cynnig priodas oherwydd ei chysylltiadau â chariad ffyddlon. Er y tybir mai yng ngherdd Gruffydd ab Adda ap Dafydd o'r bedwaredd ganrif ar ddeg, sy'n sôn am dorri a chodi bedwen yn Llanidloes, y ceir y cyfeiriad cyntaf yng Nghymru at y fedwen haf, nid oes sôn am fanylion y dawnsio ei hun hyd yn ddiweddarach o lawer. Dywedir iddo gyrraedd Cymru o Swydd Gaer a Swydd Amwythig erbyn yr ail ganrif ar bymtheg,[1] ac yn y ddeunawfed ganrif fe'i disgrifir gan y bardd dall, Wiliam Robert o'r Ydwal, Llancarfan, yn ei gerdd 'Taplas Gwainfô'. Estynnodd Robert wahoddiad i holl garedigion cerddoriaeth i ddod i bentref Gwenfô ym Mro Morgannwg ar Noswyl Ifan (Mehefin 23ain), i gyfarfod a chwarae i'r dawnswyr:

Clywch! Dewch o'ch bron, gwych ie'nctid bra'
Gâr drawad tanna tynnon,
Oll hyd Gwenfô, y man lle ma'
Gwŷr ufudd a gwyryfon
Teca'u dygiad, mewn gwir gariad,
Nos Sadyrna, (Hawdd yw dirnad)
Rhain yn hwara oddeutu'r droedla
Mewn dwys sidan, mwyn drwsiada.[2]

Chapter 3

Seasonal Dancing

The first day of May
Is a very happy day,
If we shan't have a holiday
We'll all run away!
Hwp, dyna fo!

Isaac Owen Jones, Llanasa, Flintshire,
MWL tape 1389, recorded 1966

Before the Industrial Revolution overshadowed the agricultural year, dancing was intimately connected with the seasons and annual festivals such as the harvest, All-Hallow's Eve, Christmas and New Year. It was during the warmer months, however, that dancing reached the height of popularity. Summer-long outdoor musical gatherings, known as *taplasau haf* in the south and *twmpathau chwarae* in the north, flourished, as did May and Midsummer festivities, across Wales. May Day revelry derived from the pre-Christian Roman Floralia festival dedicated to the goddess Flora, and centred on an ancient fertility symbol, the maypole, which was usually made of birch. This wood, believed in Wales to possess protective powers, was traditionally sent as a marriage proposal, owing to its association with constancy in love. The fourteenth-century poem to a birch tree by Gruffydd ab Adda ap Dafydd, recounting its felling and erection in Llanidloes, is thought to contain the first Welsh reference to a maypole, although details of the actual maypole-dancing do not appear until much later. It is reported to have arrived in Wales from Cheshire and Shropshire by the seventeenth century[1] and in the eighteenth was described by blind poet Wiliam Robert of Yr Ydwal, Llancarfan, in his poem *Taplas Gwainfô*. Robert invited all music lovers to the village of Wenvoe, in the Vale of Glamorgan, on St. John's Eve (23 June), to meet and play for the dancers:

Hark! Come, all you fine youths
Who enjoy the sound of taut strings,
To Wenvoe, the place where there are
Obedient men and maidens
Of beautiful deportment, in true love,
On Saturday nights (It's easy to understand),
Playing around the dancing ground
In dense silk, pleasant attire.[2]

[Translated from the Welsh]

Codi'r Fedwen Haf yn Amgueddfa Werin Cymru, 1990au.
Raising the maypole at the Museum of Welsh Life, 1990s.

Amrywiai'r dathliadau Calan Mai, yn enwedig y dawnsio, yn fawr o ranbarth i ranbarth. Yn y de, fel y disgrifiwyd eisoes yn y gerdd 'Taplas Gwainfô', câi'r fedwen haf ei phaentio'n lliwgar a'i gorchuddio â rhubanau ac yna ei chludo drwy'r pentref cyn cael ei chodi ar y maes lle byddai trigolion o'r ddwy ryw yn dawnsio o'i chylch.[3] Roedd gan ogledd Cymru ei thraddodiad 'cangen haf' lle byddai gorymdaith o ddeuddeg neu ragor o lanciau yn aros wrth bob tŷ i ganu a dawnsio.[4] Byddai pob un ond dau o'r parti (y cludai ei arweinydd garlant haf, sef cangen o goeden fedwen wedi'i haddurno'n hardd â gwrthrychau arian megis watshis, llwyau a dysglau) yn gwisgo llodrau gwyn wedi'u haddurno â rhubanau, a chrysau a hetiau gwyn, ac yn dal hancesi gwyn mewn un llaw. Actiai'r ddau aelod arall o'r parti y Ffŵl a Cadi, cymeriadau doniol mewn dillad lliwgar. Byddai wyneb Cadi wedi'i dduo neu ei guddio â mwgwd a gwisgai ddillad merch. Wrth i'r Ffŵl chwarae'n wirion ac i Cadi erfyn am

May Day celebrations, particularly the dances, were subject to regional variations. In the south, as described in *Taplas Gwainfô*, the colourfully painted and ribbon-bedecked maypole was carried through the village before being raised on the green and danced around by both sexes.[3] In north Wales, the 'summer branch' (*cangen haf*) tradition involved a procession by twelve or more youths who stopped at every house to sing and dance.[4] All but two of the party (the leader of which carried a summer garland, a birch branch beautifully decorated with silver objects such as watches, spoons and dishes) wore white breeches adorned with ribbons, white shirts and hats and held white handkerchiefs in one hand. The remaining pair portrayed the colourfully-clothed comical characters known as the Fool and Cadi, the latter, with face either masked or blackened and wearing female attire. While the Fool clowned around and the Cadi begged for gifts at each doorstep, the accompanying

Bob Williams, y Cadi Ha olaf, yn ôl y sôn, o ardal
Treffynnon, 1930au.
Bob Williams, said to be the last traditional
Cadi Ha in the Holywell area, 1930s.

Fersiwn Cwmni Dawns Werin Caerdydd o gymeriadau'r
Ffŵl a'r Cadi, 1990au
Cwmni Dawns Werin Caerdydd's version of the Fool and
Cadi characters, 1990s

roddion ar bob rhiniog, byddai'r dawnswyr Morys yn
symud rhagddynt yn siriol gan godi eu hancesi a
gweiddi'n uchel. Yn gyffredin â llawer o'r adroddiadau
cynnar hyn am ddawnsfeydd, ni fanylir ar y camau eu
hunain. Nid oedd dim mwy o *'uniformity in the precise
details of morris dancing than in the Mari Lwyd and wassail-
ing party or holiday football games'*.[5]

Yn dilyn yr haf deuai gwyliau'r cynhaeaf, pan gynhelid
dawnsfeydd i ddathlu ffrwyth diwrnod caled o lafur yn
y caeau. Mae llythyr gan y bardd a'r ysgolhaig Lewis
Morris (1701-65) i'w frawd Richard ym mis Awst 1760
yn disgrifio'r gwledda llawen mewn ysgubor yng
ngogledd Sir Aberteifi a'r dawnsio brwd a'i dilynodd:

group of morris dancers proceeded merrily, throwing
up their handkerchiefs and whooping loudly. As is too
often the case with these early accounts of dances, the
actual steps remain a mystery. There was 'no more
uniformity in the precise details of morris dancing
than in the Mari Lwyd and wassailing party or holiday
football games'.[5]

On the heels of summer came the harvest festivals,
when dances were held to celebrate the culmination of
a hard day's work in the fields. A letter from poet and
scholar Lewis Morris (1701-65) to his brother Richard
in August 1760 describes the enthusiastic dancing in a
north Cardiganshire barn and the hearty feasting
which preceeded it:

Wawch daccw 45 o bobl gwedi bod ddoe yn medi y rhyg eiddof, a pheth pys hefyd - brecwast o fara a chaws a llaeth a maidd. Cinio o lymru a llaeth a bara ymenyn, ond y swpper sef y pryd mawr, o loned padell ddarllo o gig eidion, a chig defaid, ag araits a thattws a phottes a phwding blawd gwenith, ag ynghylch 20 alwyn o ddiod fain a thros ugain alwyn o gwrw, a rhoi tannau ar y ffidil goch bren, a ffidler yn canu iddynt gwedi bwytta lloned eu boliau, a mynd i'r sgubor ar y llawr coed, a dawnsio ohonynt yno hyd nad oeddynt yn chwys diferol a sten fawr a chwrw wrth eu cluniau, a darn o dybacco i bob un. Dyna fywoliaeth! [6]

Behold 45 people having been yesterday reaping my rye, and some peas as well - breakfast of bread and cheese and milk and whey. Dinner of flummery and milk and bread and butter, but the supper, which was the big meal, of a brewing-pan full of beef, and mutton, and carrots and potatoes and pottage and wheatflour pudding, and around 20 gallons of small beer and over 20 gallons of strong beer, and strings were put in the wooden red fiddle, with a fiddler playing for them after eating their bellies full, and they went to the barn on the wooden floor, and danced there till they were dripping sweat with a large jug of beer at their sides, and a piece of tobacco for each one. That was living! [6]
[Translated from the Welsh]

Christmas and New Year saw the re-enacting of the Mari Lwyd ritual, in which dance, although not integral to the proceedings, might also feature. This ceremony comprised a wassailing party of men and boys, one of whom was dressed as a horse figure, the Mari Lwyd ('Grey Mare' or 'Holy Mary'). Travelling from door to door, the troupe requested permission to enter dwellings through singing the traditional song. Householders responded by engaging

Perfformio defod ganol-gaeaf y Fari Lwyd yn Amgueddfa Werin Cymru, 1991.
Re-enacting the Mari Lwyd midwinter custom at the Museum of Welsh Life, 1991.

Y Nadolig a'r Calan oedd yr adeg y câi defod y Fari Lwyd ei pherfformio. Gallai hon gynnwys elfen o ddawns er nad oedd yn rhan annatod o'r seremoni. Byddai nifer o ddynion a bechgyn, un wedi'i wisgo fel ceffyl, sef y Fari Lwyd, yn mynd o ddrws i ddrws gan ofyn am ganiatâd i ddod i mewn drwy ganu'r gân draddodiadol. Atebai'r preswylwyr drwy ganu penillion hefyd (pwnco), cyn ildio i sicrhau bod Mari a'i chriw yn dymuno pob llwyddiant iddynt am y flwyddyn i ddod a gwahodd y parti i mewn am luniaeth. Roedd y ddefod yn cynnwys canu, a dawnsio hefyd ar adegau. Ym Morgannwg, gallai'r parti gwasaela gynnwys cymeriadau Pwnsh a Siwan doniol a fyddai'n jigio a dawnsio'n llon gyda'r Fari, weithiau i gyfeiliant y delyn a'r ffidil. Fel yn achos y dawnsio morys, nid oedd camau ffurfiol, dim ond dawnsio digymell a phrancio.

in sung repartee (pwnco), before eventually conceding defeat in order to be wished good luck for the coming year by the Mari and her crew, who were then invited in for refreshments. This involved singing and, occasionally, dance. In Glamorgan, the wassailing group might include comical Punch and Judy characters, which, along with the Mari, were known to jig and step merrily, sometimes to the accompaniment of harp and fiddle. As with the morris dancing already mentioned, there were no formal steps; spontaneity and frolics being the order of the evening.

Y Ffordd i Ddistryw

O'r Stryd fawaidd anrhefnus hon, ni aethom i Stryd y Dwysoges Pleser, yn hon gwelwn lawer o Fritaniaid, Ffrancod, Italiaid, Paganiaid, &c. Twysoges lân iawn yr olwg oedd hon, â gwin cymmysc yn y naill law, a chrŵth a thelyn yn y llall: ac yn ei Thrysorfa aneirif o bleserau a theganeu i gael cwsmeriaeth pawb, a'u cadw yn gwasanaeth ei Thâd ... Hyd y Strŷd allan gwelit chwareuon Interlud, siwglaeth a phob castiau hûg, pob rhyw gerdd faswedd dafod a thant, canu baledeu, a phob digrifwch; a phob rhyw lendid o Feibion a Merched yn canu ac yn dawnsio, a llawer o Stryd Balchder yn dyfod yma i gael eu moli a'u haddoli.

Ellis Wynne, Gweledigaetheu y Bardd Cwsc (1703; Bangor, 1898)

O ystyried poblogrwydd dawnsio ar hyd y canrifoedd, syndod braidd yw iddo bron â mynd i ddifancoll, yn bennaf o ganlyniad i bwysau moesol yr Anghydffurfwyr. Yr oedd agwedd gynyddol ddihidio'r bobl at y Sul wedi cael ei beirniadu'n llym gan y Piwritaniaid yn Lloegr mor gynnar â 1570. Collfernid y mwyafrif o weithgareddau hamdden mewn llu o bregethau, pamffledi a thaflenni yn y gred eu bod hwy'n gynhenid annuwiol. Er hynny, ni ddechreuodd ymgyrch gyffelyb yng Nghymru hyd ddechrau'r ddeunawfed ganrif. Y Diwygwyr Methodistaidd oedd fwyaf blaenllaw yn yr ymgyrch hon, gan ymosod ar y meddwdod a oedd mor gyffredin yn y ffeiriau a'r gwyliau, ar loddesta, ac ar bob ffurf ar adloniant, gan eu bod yn anochel yn arwain at uffern a damnedigaeth. Ymdrechai'r gweinidogion i achub eu preiddiau rhag gweithgareddau andwyol o'r fath drwy gollfarnu '*pagan and catholic survivals*', megis y fedwen haf, dyddiau gŵyl, gwylmabsantau a ffynhonnau sanctaidd.[1] Mae *Gweledigaetheu y Bardd Cwsc* (1703), Ellis Wynne, yn lladd yn ddidrugaredd ar ddawns, y delyn a'r ffidil, ac mae Rhys Prydderch, yn ei *Gemmeu Doethineb* (1714), yn rhoi dawnsio cymysg ar ben ei restr o ddeuddeg pechod, uwchben drwgweithredoedd megisymladd ceiliogod, usuriaeth a gorfodi plant ifanc i briodi.

Chapter 4

The Road to Damnation

This revival of religion has put an end to all the merry meetings for dancing, singing with the harp, and every kind of sinful mirth, which used to be so prevalent amongst young people here. And at a large fair, kept here a few days ago, the usual revelling, the sound of music, and vain singing, was not to be heard in any part of the town.

Reverend Thomas Charles, 1791, quoted in D.E. Jenkins, *The Life of the Reverend Thomas Charles of Bala* (Denbigh, 1910)

Given the popularity of dancing down the centuries, few could have anticipated its virtual disappearance, which eventually came about largely as a result of Nonconformist pressure. While an increasingly carefree attitude towards the Sabbath had attracted Puritan censure in England as early as 1570, when sermons, tracts and broadsheets denounced most leisure activities for what was seen as their inherent ungodliness, a similar Welsh campaign began only during the early eighteenth century. This was led by the Methodist Revival, which attacked the evils of drunkenness at fairs and revels, over-indulgence, and all forms of entertainment, which guaranteed hell and damnation. Ministers sought to cleanse their flocks of such harmful pursuits and condemned 'pagan and catholic survivals - the maypole and summer birch, saints days, mapsants and holy wells'.[1] Ellis Wynne's *Gweledigaetheu y Bardd Cwsc* ('Visions of the Sleeping Bard', 1703) scathingly deprecated dance, the harp and the fiddle, while in 1714 mixed dancing was first on the list of twelve sins compiled by Rhys Prydderch in his book *Gemmeu Doethineb* ('Gems of Wisdom'), ahead of such depravities as cock-

Y Parchedig John Elias (1774-1841) yn pregethu yn un o'r cymanfaoedd awyr agored a ddisodlodd yr hen fabsantau.

The Reverend John Elias (1774-1841) at one of the open-air preaching festivals which supplanted the old wakes and revels.

Cynhwyswyd y rhestr hon hefyd yn *Rhybydd Teg, mewn Pryd Da* gan Rhys Prydderch, a gyhoeddwyd ym 1766 ac eto ym 1804, gan dystio i ymgyrch ddigyfaddawd yr Anghydffurfwyr yn erbyn gweithgareddau hamdden a roddai bleser i'r werin, a hynny dros gyfnod maith.

fighting, usury and marrying children in their infancy. This list was also included in Prydderch's *Rhybydd Teg, mewn Pryd Da* ('A Fair Warning in Good Time'), published in 1766 and again in 1804, emphasising the narrow-minded Nonconformist mistrust of pleasure.

Siart yn dwyn y teitl *The Up and Down Lines*, 19eg ganrif.
Sylwer ar y ffigurau'n dawnsio yn ymyl 'Hades Junction' ar y llinell i ddistryw!
A 19th century chart entitled *'The Up and Down Lines'*,
Note the figures dancing near 'Hades Junction' on the 'Down Line'!

Yn *The Bardic Museum*, a gyhoeddwyd ym 1802, mae'r awdur, Edward Jones ('Bardd y Brenin', 1752-1824), yn gresynu at effeithiau andwyol y sêl grefyddol hon:

> The sudden decline of the national Minstrelsy, and Customs of Wales, is in a great degree to be attributed to the fanatick imposters, or illiterate plebeian preachers, who have too often been suffered to over-run the country, misleading the greater part of the common people from their lawful Church; and dissuading them from their innocent amusements, such as Singing, Dancing, and other rural Sports, and Games, which heretofore they had been accustomed to delight in, from the earliest time. In the course of my excursions through the Principality, I have met with several Harpers and Songsters, who actually had been prevailed upon by those erratic strollers to relinquish their profession, from the idea that it was sinful. The consequence is, Wales, which was formerly one of the merriest and happiest countries in the world, is now become one of the dullest.[2]

Bu'r effaith ar gerddoriaeth draddodiadol felly yr un mor drychinebus ag ar ddawns, wrth i delynorion a ffidlwyr roi eu hofferynnau o'r neilltu dan ddylanwad y diwygwyr crefyddol. Erbyn diwedd y ddeunawfed ganrif, fel y dengys y stori ganlynol am y Parchedig Isaac Price, roedd ymgyrchu'r Methodistiaid eisoes wedi gadael ei ôl:

> Dywedir ei fod yn mynd un diwrnod trwy bentref Llangammarch. Yr oedd yno hen "fiddler" o'r enw Thomas Prys. Pan welodd hwn Mr. Price yn myned heibio, gwaeddodd ar ei ol: 'Isaac Price, deuwch yma' 'I ba beth, Thomas?' ebai Mr. Price.' I chwi gael y "fiddle" yma gennyf fi, oblegid yr ydych chwi wedi myned a'r bobl oll yn barod.'[3]

Er i'r delyn deires oroesi drwy gael ei mabwysiadu'n symbol cenedlaethol yn y bedwaredd ganrif ar bymtheg a'i derbyn ar lwyfan anrhydeddus yr eisteddfod, nid oedd y ffidil mor ffodus. Methodd ag ennill parchusrwydd a diflannodd yn raddol. Drwy lwc, roedd yr arfer o ddawnsio i gyfeiliant y ffidil wedi goroesi pan aeth Richard Morris ati i ddisgrifio'r genhedlaeth olaf o ffidlwyr teithiol a fuasai, hyd at ddiwedd y bedwaredd ganrif ar bymtheg, yn olygfa gyffredin yn y ffeiriau ac yn gyfrwng i fywiocáu'r adloniant cyffredinol. Rhoddir disgrifiad trawiadol o un o'u nifer, o'r enw Swansea Bill:

The crippling effects of religious zeal were poignantly conveyed by Edward Jones ('The King's Bard', 1752-1824), author of *The Bardic Museum*, published in 1802:

Traditional music was as deeply-wounded as dance, for such was the influence of religious reformers that harps and fiddles were discarded and left to rot. As the Reverend Thomas Price ('Carnhuanawc', 1787-1848) of Brecknock noted in the mid-nineteenth century:

> My father told me that he remembered an old man, I think about Llangamarch or Abergwesin, who play'd the Harp, but who joined the Methodists or Dissenters and then gave up the Harp and threw it by under the bed, where it lay till it got unglewed and worm-eaten and fell to pieces.[3]

While the triple harp survived religious opposition through its adoption as a national symbol in the nineteenth century and acceptance onto the honourable platform of the *eisteddfod*, the fiddle was not so lucky, failing to achieve respectability and gradually disappearing from view. Happily, its role in Welsh dance survived long enough for the Reverend Richard Morris to report upon the last generations of travelling fiddlers, who, until the end of the nineteenth century, were a familiar sight at fairs and greatly enlivened the entertainment. He gives an illuminating description of one of their number known as Swansea Bill:

> He wore a black velvet coat and waistcoat, a pair of corduroy breeches, and buckled shoes. His figure was well-known and eagerly looked for at all fairs. He attracted large crowds of rustic dancers and never lacked patronage. At all villages where convenient he hired a barn or granary for his dances, charging a penny for admission. The barns were invariably packed to 'cracking'. Those admitted were allowed an hour's dancing, during which time Bill's bow was put to best use, and he himself kept shouting his instructions to the dancers, till his naturally red face became crimson, and the perspiration rolled off in large beads.[4]

'Offer Cerdd y Cymru', fel y'u portreadwyd gan Edward Jones, 'Bardd y Brenin', yn ei gyfrol arloesol *Musical and Poetical Relicks of the Welsh Bards, (1784).* The Musical instruments of the Welsh, as portrayed by Edward Jones, ('The King's Bard'), in his pioneering volume *Musical and Poetical Relicks of the Welsh Bards, (1784).*

Cornelius, David ac Adolphus Wood, aelodau o deulu o sipsiwn Cymreig a oedd yn enwog yn y 19eg ganrif fel telynorion a ffidlwyr.
Cornelius, David and Adolphus Wood, three musicians from a family of Welsh gypsies who were renowned in the 19th century as harpists and fiddlers.

Y cerddorion crwydrol i raddau helaeth a gynhaliai draddodiadau cerddorol Cymru yn ystod y cyfnod anodd hwn, er mai ei chysylltiad â gwyliau a ffeiriau gwagedd a oedd wedi ysgogi gwrthwynebiad y diwygwyr crefyddol i'r ffidil yn y lle cyntaf. John Roberts (1797-1875), y ffidlwr gwerinol o deulu'r sipsiwn o'r Drenewydd, oedd un o'r rhai olaf i berfformio yn y gwylmabsantau blynyddol:

Itinerant musicians played an important role in continuing musical traditions in Wales, although it was precisely because of its connection with revels and vanity fairs that the fiddle earned the bitter antagonism of religious revivalists. John Roberts (1797-1875), the peasant fiddler of Newtown, was one of the last to perform at the annual *mabsant* festivals:

> *He kept the embers of the musical fire alive when the musical life of mid-Wales was threatened with extinction. There were then, it is said, only two violins besides his in the whole of central Wales ... Included in his repertoire were all the known hornpipes, jigs, reels, schottisches, polkas, waltzes, country dances, and the popular songs of the day, especially the 'alawon' of his own country. At the annual club gatherings and 'gwyliau mabsant' his presence was indispensable ... At these gatherings Roberts was the central figure, and he was accompanied by his wife on the tambourine. He would be busy in one of the 'long rooms' of the local inn, with a merry group around him, who kept up the dance till a late hour. [5]*

Ym mis Medi 1832 erfyniodd gwraig o Sir y Fflint ar ei phlant i beidio â dweud wrth eu tad ei bod wedi dawnsio mewn gwylmabsant pan oedd ef i ffwrdd yn pysgota, rhag ofn y byddai'n ei gwahardd rhag mynd yn y dyfodol.[6] Byddai Ifan Thomas (tadcu-yng-nghyfraith Catherine Margretta Thomas, casglwraig dawnsfeydd Nantgarw), ar ôl cael

In September 1832 a Flintshire woman begged her children not to tell their father that she had danced at a *gwylmabsant* when he was away fishing, for fear that he might ban her from attending in future.[6] Similar temptation was resisted by Ifan Thomas (grandfather-in-law of Margretta Thomas, collector of the Nantgarw dances) who, converted by the religious revival of 1859,

tröedigaeth yn niwygiad crefyddol 1859, yn rhedeg heibio i dafarndai lle gallai glywed sŵn cerddoriaeth a dawns rhag ofn ildio i'r ysfa i ymuno yn y miri.[7]

Er i'r Anghydffurfwyr fethu ag atal cerddoriaeth a dawns draddodiadol yn llwyr, roedd y traddodiad wedi dioddef ergyd enbyd. O blith yr holl ddawnsfeydd, dim ond dawns step y glocsen, ynghyd â pheth dawnsio Morys yng ngogledd-ddwyrain Cymru,[8] a oroesodd yn gyfan, tra rhoddwyd y gorau i'r lleill hyd nes iddynt gael eu hadfywio yn ystod yrugeinfed ganrif.

used to run past taverns from which the sounds of music and dance emanated, to quell his urge to join in.[7]

Although the Nonconformists failed to stamp out traditional music and dance entirely, they dealt them a crippling blow. Of the dances, only clog dancing, along with some morris dancing in north-east Wales,[8] managed to survive intact, while the rest lay in abeyance until their later revival during the present century.

Y diweddar Pat Shaw yn dysgu cerddorion i gyfeilio i ddawnsio gwerin yn un o ysgolion Pasg Cymdeithas Ddawns Werin Cymru, 1960au cynnar.
The late Pat Shaw teaching the techniques of folk-dance accompaniment at a Welsh Folk Dance Society Easter school, early 1960s.

Dau o gerddorion Cwmni Dawns Werin Caerdydd, y naill yn canu acordion a'r llall yn curo bodhran, math o ddrwm Gwyddelig.
Two instrumentalists from Cwmni Dawns Werin Caerdydd, one playing an accordion and the other an Irish bodhran.

The objects of the Society shall be to study and make known generally Welsh folk dance material already collected and published, to coordinate Welsh folk dance activities and to make further research.

Cofnodion y cyfarfod agored a gynhaliwyd yn yr Amwythig, ar 23 Gorffennaf 1949, i drafod ffurfio Cymdeithas Ddawns Werin Cymru

Erbyn troad yr ugeinfed ganrif roedd dawnsio gwerin Cymreig mewn cyflwr mor fregus fel yr ymddangosai fod ei dranc yn anochel. Er bod Anghydffurfiaeth yn parhau'n elyniaethus, nid dyma'r unig ffactor. Roedd dirywiad bywyd gwledig dan bwysau trefoli'r Chwyldro Diwydiannol a dyfodiad y rheilffyrdd a ddaethai ag atyniadau pell cyffrous o fewn cyrraedd y bobl hefyd wedi tanseilio arferion traddodiadol y wlad, gan gynnwys dawnsio gwerin. Mewn cymdeithas newidiol â'i phryd ar ehangu diwydiannol, roedd y ffeiriau a gwyliau a fu unwaith mor boblogaidd bellach yn perthyn i oes a fu.

Minutes of the open meeting held in Shrewsbury, on Saturday 23 July 1949, to discuss the formation of a Welsh Folk Dance Society

By the turn of the twentieth century Welsh folk dancing was in such a state of decline that its demise seemed inevitable. Along with Nonconformist disapproval, other factors, such as the decline of rural life and the advent of railway travel facilitating exciting new leisure activities further afield, also played a major role in ridding the country of its traditional customs, folk dance included. To a changing society, preoccupied with industrial expansion, the once popular fairs and festivals belonged to a bygone era. Folk dancing in both England and Wales would almost certainly have faded into oblivion had it not have been

Swyddogion a chefnogwyr Cymdeithas Ddawns Werin Cymru yn Eisteddfod Genedlaethol Cymru, Caerdydd 1960.
Officers and supporters of the Welsh Folk Dance Society at the National Eisteddfod of Wales, Cardiff 1960.

Mae'n debyg y byddai dawnsio gwerin yng Nghymru a Lloegr wedi diflannu am byth oni bai am ymdrechion ychydig o arloeswyr ymroddedig. O ran adfer hen ddawnsfeydd, y Sais Cecil Sharp (1859-1924), y casglwr a chyhoeddwr caneuon gwerin adnabyddus, oedd y ffigur pwysicaf a mwyaf dylanwadol. Sefydlodd Sharp ac eraill Gymdeithas Ddawns Werin Lloegr ym 1911, ac erbyn 1914 roedd wedi cyhoeddi dwsin o lawlyfrau'n cynnwys cerddoriaeth a chyfarwyddiadau ar gyfer llawer o ddawnsfeydd Seisnig. Ar ôl y Rhyfel Mawr, cyflwynwyd gwersi dawnsio gwerin i ysgolion yn Lloegr a phenodwyd Sharp i'w goruchwylio. Cafodd y datblygiadau dros y ffin gryn ddylanwad ar Gymru, ac ym 1924 ffurfiwyd Cangen Sir Fynwy o'r Gymdeithas Seisnig. Roedd yr adfywiad Cymreig wedi dechrau o ddifrif rai blynyddoedd ynghynt, ym 1918, pan gafodd y ddawns Gymreig gyntaf ei dwyn i gof a'i chofnodi; Rîl Llanofer oedd hon, a ddyfeisiwyd yn Neuadd Llanofer yng Ngwent. Er i ddawnsfeydd Llangadfan gael eu darganfod yn yr 1920au ymysg papurau a fu'n eiddo ar un adeg i Edward Jones, ('Bardd y Brenin'), ac i Rîl Llanofer gael ei pherfformio gan Gangen Sir Fynwy o Gymdeithas Ddawns Werin Lloegr ym 1931, araf fu'r gwaith casglu. Ymddengys i'r Gymdeithas Ddawns Werin Cymru a ffurfiwyd ym 1926 ac a fwriadai, yn ôl y *South Wales News*, fynd ar drywydd storfeydd anghofiedig o hen lên gwerin, caneuon a thraddodiadau,[1] gael ei dirwyn i ben yn fuan wedyn. Ni chyhoeddwyd chwaith unrhyw lyfrau yn y maes hwn hyd nes i *Welsh National Music and Dance* gan W.S. Gwynn Williams ymddangos ym 1932 a *Welsh Folk Dances: An Inquiry* gan Hugh Mellor dair blynedd yn ddiweddarach.

Saesnes, fodd bynnag, a fu'n bennaf gyfrifol am adfer dawnsio gwerin yng Nghymru,

for the efforts of a few dedicated pioneers. The most important and influential was the Englishman Cecil Sharp (1859-1924), the renowned folk song collector and publisher. Sharp and others founded the English Folk Dance Society (EFDS) in 1911, and by 1914 had published a dozen manuals comprising music and instructions for many English dances. After the Great War, folk dance lessons were introduced in English schools and Sharp was appointed to monitor progress. Wales was greatly influenced by events across the border and by 1924 there was a Cardiff and Monmouthshire Branch of the EFDS. A Welsh revival had begun in earnest some years earlier, in 1918, when the Llanover Reel, devised at the country-house of Llanover, Gwent, became the first dance in Wales to be recalled and transcribed. Although this was followed in the 1920s by the discovery of the Llangadfan dances among papers previously belonging to Edward Jones, ('The King's Bard'), and the performance of the Llanover Reel by the Monmouthshire Branch of the EFDS in London in 1931, progress in collecting was slow. The Welsh Folk Dance Society, formed in 1926 (which, according to the *South Wales News*, intended to tap into 'hitherto unknown resources of old folk-lore, song and tradition')[1] seems to have disbanded soon afterwards and no books were published in this field until the arrival of *Welsh National Music and Dance* by W.S. Gwynn Williams in 1932 and *Welsh Folk Dances: An Inquiry* by Hugh Mellor three years later.

It is an Englishwoman, however, who must be regarded as the driving-force behind the revival of folk dancing in Wales. Almost single-handedly she rescued Welsh traditional dances from extinction. Lois Blake

Lois Blake (1890-1974), arloeswraig o safbwynt adfywiad dawnsio gwerin yng Nghymru.
Lois Blake (1890-1974), the most influential figure in the revival of folk dancing in Wales.

gan achub, ar ei phen ei hun i bob pwrpas, ein dawns-feydd traddodiadol rhag ebargofiant. Roedd Lois Blake (1890-1974) yn aelod blaenllaw o Gymdeithas Ddawns Werin Lloegr a symudodd o Lerpwl i fyw yn Llangwm, Sir Ddinbych ym 1930. Dechreuodd ddysgu dawnsio i blant yr ardal, ac fe'i synnwyd gan brinder y dawnsfeydd gwerin lleol o gymharu â rhannau eraill o Brydain. Gyda'i chyd-aelod W.S. Gwynn Williams, aeth Lois Blake ati i gyhoeddi cyfres o lawlyfrau dawns, a chydag Emrys Cleaver ac Enid Daniels Jones ffurfiodd y Gymdeithas Ddawns Werin Cymru bresennol yn yr Amwythig ym 1949. Roedd dawnsio gwerin, a ystyrid gynt yn bechod mawr, ar fin adennill ei boblogrwydd.

(1890-1974), a prominent member of the EFDS, moved from Liverpool to Llangwm, Denbighshire in 1930 and, having begun to teach local children to dance, was astonished at the small number of folk dances being performed compared with other parts of Britain. In collaboration with W.S. Gwynn Williams, Lois Blake started to publish a series of dance manuals and, joined by Emrys Cleaver and Enid Daniels Jones, founded the present Welsh Folk Dance Society (WFDS) in Shrewsbury in 1949. Folk dancing, so long considered a sin, was on the verge of regaining respectability.

Lois Blake yn hyfforddi dawnswyr ar un o gyrsiau Cymdeithas Ddawns Werin Cymru ym Mhantyfedwen, tua 1959. Lois Blake training folk dancers at a course organised by the Welsh Folk Dance Society at Pantyfedwen, about 1959.

Pennod 6.
Olrhain y Dawnsfeydd

Chapter 6.
Tracing the Dances

It must at once be admitted that there certainly is, as far as we have been able to discover, not much material ready to hand; but for all that, if we collect together and carefully consider what information there is, it ought to be possible to re-create fairly accurately some of the old dances.

W.S. Gwynn Williams, *Welsh National Music and Dance* (Llundain, 1932)

W.S. Gwynn Williams, *Welsh National Music and Dance* (London, 1932)

Er bod y brwdfrydedd dros adfywio dawnsio gwerin yn galonogol, roedd yn anodd ei gynnal oherwydd y broblem o adennill dawnsfeydd a oedd wedi'u hen anghofio. Er eu bod yn hen, ni fu llawer o ymdrech i gofnodi dawnsfeydd traddodiadol y Cymry hyd yma (roedd y llyfr dawns Seisnig cynharaf wedi'i gyhoeddi dros ddwy ganrif ynghynt).

While enthusiasm for a folk dance revival was encouraging, the necessary recovery of long-forgotten dances proved difficult. Despite their much earlier origins it was not until the twentieth century (over two centuries after the publication of the earliest English dance book) that many Welsh traditional dances resurfaced.

Cynhyrchwyd nifer o lawlyfrau dawns yn Lloegr yn ystod yr ail ganrif ar bymtheg a'r ddeunawfed ganrif a gynhwysai alawon a chyfarwyddiadau ar gyfer dawns-feydd cymdeithasol y cyfnod. Roedd oddeutu 900 o ddawnsiau yn yr amryfal argraffiadau o *The English Dancing Master* gan John Playford (rhwng 1651 a 1825) ac yn *The Compleat Dancing Master* (1718) gan John Walsh, gwneuthurwr offerynnau i William III a'r

A number of dance manuals were produced in England during the seventeenth and eighteenth centuries, providing tunes and instructions for the social dances of the period. Some 900 dances were featured in the various editions of John Playford's *The English Dancing Master* (between 1651 and 1825), and *The Compleat Dancing Master* (1718) by John Walsh, instrument maker to William III and Queen Mary. Judging by

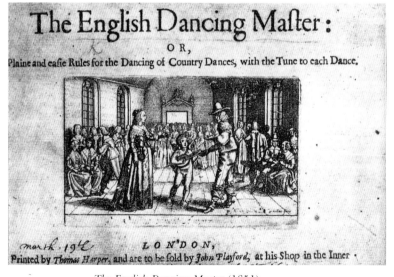

The English Dancing Master (1651).

Frenhines Mary. Yn ôl eu teitlau, gellid tybio bod dyrnaid o'r rhain â'u gwreiddiau yng Nghymru, er enghraifft, *The Lord of Caernarvon's Jig*, *Abergenny* a *Meillionen*. Serch hynny, mae'n ddigon tebyg iddynt ddod i Gymru o Loegr, fel y gwnaeth dawnsio morys a dawnsio gwlad yn gyffredinol. Yn yr un modd hefyd y daeth dawnsfeydd tramor megis y *galliard*, *pavan* a *branle* o Ffrainc neu'r Eidal yn boblogaidd ymhlith y dosbarthiadau cymdeithasol uwch yn Lloegr yn ystod yr unfed ganrif ar bymtheg.[1] Gellir amau, felly, a yw unrhyw ddawns 'Gymreig' dybiedig yn tarddu o Gymru, mewn gwirionedd. Honnir mai gwaith Edward Jones, *Musical and Poetical Relicks of the Welsh Bards* (1784 a 1794), sy'n cynnwys yr alawon dawns Cymreig cynharaf, ond, fel y dywedwyd am ganu gwerin, ni allai dawnsio traddodiadol byth hawlio purdeb hiliol:

Folk music does not recognize national boundaries, and certainly not in a place like the British Isles, where the different Celtic nations have interacted for so long with their non-Celtic English neighbours.[2]

Mae'n bosibl fod yr awdur a chasglwr dawnsfeydd gwerin Hugh Mellor yn anghytuno â'r farn hon. Pan gafodd Rîl Llanofer ei dwyn i gof gan Mrs Gruffydd Richards ym 1918 (a oedd wedi'i dawnsio ei hunan i gyfeiliant ei thad, Thomas Gruffydd, telynor Neuadd Llanofer hyd ei farwolaeth ym 1887), roedd Mellor, wrth ei thrawsgrifio, ar ben ei ddigon:

I soon saw that we had something distinctive from any other known dance in either England or Ireland, and when I realised that I was engaged in noting down the <u>first</u> traditional Welsh dance that had ever been put down on paper I felt my responsibilities and determined that it should be put down exactly as Mrs Richards danced it ... I also noted the 'Rhif Wyth', an English country dance with, however, different steps and quite a different style from the English way of dancing these 'longways' dances ... [The Llanover Reel] is not an English dance and yet when I saw the Monmouthshire branch of the English Folk Dance Society (who had applied to me in 1927 for the notes on the dance) perform it, I was sorry to see that they had turned it into an English country dance - as far as they could. The polka and skipping steps they used, the extent of ground covered, the general style, were all quite untraditional ... We have here, I believe, a purely Welsh dance, but one which has lost a number of its Welsh steps. There is nothing similar known in England, but in Ireland the Galway Reel has certain approximations.[3]

Yn hanner cyntaf y bedwaredd ganrif ar bymtheg câi dawnsfeydd eu cynnal yn Neuadd Llanofer i ddifyrru gwesteion pwysig. Mae'r alaw ar gyfer Rîl Llanofer yn amrywiad ar *Jones's Hornpipe* a gyhoeddwyd ym 1794.

Nid oes sicrwydd ynghylch tarddiad tair dawns Llangadfan a gofnodwyd gan William Jones ym 1790 yn ei lythyrau i'r awdur Edward Jones. Barn William Jones ei hun oedd:

their titles, a handful of these items, such as The Lord of Caernarvon's Jig, Abergenny and Meillionen, are presumed to have originated in Wales. It is quite probable, however, that they had initially filtered into Wales from England, as did morris dancing and country dancing in general, just as foreign dances such as French and Italian galliards, pavanes and branles had in turn become popular in higher social circles in England during the sixteenth century.[1] It remains debatable, therefore, whether any of the supposedly 'Welsh' dances were actually Welsh in origin. What were claimed to be the earliest Welsh dance tunes appeared in Edward Jones's *Musical and Poetical Relicks of the Welsh Bards* (1784 and 1794), but, as has been said of folk music, traditional dance could never claim racial purity:

Author and folk-dance collector Hugh Mellor might have disagreed with this view. When in 1918 the Llanover Reel was recalled by Mrs Gruffydd Richards (who had danced it herself to the accompaniment of her father Thomas Gruffydd, Llanover Hall harpist until his death in 1887), Mellor, on transcribing it, excitedly proclaimed:

In the first half of the nineteenth century, dances were held at Llanover Hall to entertain distinguished guests, for whose benefit the above English names of figures were perhaps adopted. The tune of the Llanover Reel is a variant of Jones's Hornpipe, published in 1794.

We cannot be sure of the nationality of the three Llangadfan dances recorded by William Jones in 1790 in his letters to author Edward Jones. William Jones himself believed that:

our ancestors had no dances but what they borrowed from the English together with the terms of the Art, [and] we have not a word in our language which properly signifies a dance. Nor can I recollect that I have ever read in the Poets the most distant hint concerning dancing. With their patterns conforming to the English 'Longways for 6' types, the Llangadfan dances are certainly quite complicated.[4]

Mae'n werth sôn, fodd bynnag, fod nodweddion rhai o'r riliau Cymreig hefyd yn elfen amlwg yn nawnsfeydd Llangadfan. Ffermwr oedd William Jones wrth ei alwedigaeth, ac er nad oedd yn ddawnsiwr ei hun, rhoddodd ddisgrifiadau rhyfeddol o fanwl o *Ally Grogan, Lumps of Pudding* a *The Roaring Hornpipe*, er na welsai hwy'n cael eu perfformio erioed, gan eu bod wedi hen ddiflannu pan ysgrifennodd ei lythyrau:

It is worth mentioning, however, that the heys characteristic of Welsh reels also feature prominently in the Llangadfan set. Jones, a farmer and not himself a dancer, provided surprisingly detailed descriptions of Ally Grogan, Lumps of Pudding and The Roaring Hornpipe, despite never having seen them performed, as they had disappeared long before he wrote his letters:

The dances formerly in this country were by parties of six, longways, and round about 40 years ago they extended to more than four or five parishes and about 15 years ago they were wholly laid aside. It begins to revive a little at present but as it requires some skill and application to learn it handsomely and the experienced practitioners are either dead or superannuated it will be entirely lost to the next generation.[5]

Yn ffodus ni wireddwyd proffwydoliaeth William Jones am ddawnsfeydd Llangadfan, ac ynghyd â Rîl Llanofer a dawnsfeydd Playford a Walsh, daethant unwaith eto yn rhan annatod o gynhysgaeth dawnswyr gwerin Cymru. Y ffasiwn erbyn heddiw yw creu dawnsfeydd gwerin newydd, ond heb y dystiolaeth hanesyddol i seilio'r stepiau a'r patrymau arni, ni allai dehongliadau modern o'r fath hawlio llawer o ddilysrwydd.

Fortunately William Jones's pessimism concerning the future of the Llangadfan dances was misplaced, and along with the Llanover Reel and the Playford and Walsh dances, they have once more become an integral part of the Welsh folk dance repertoire. It is now the vogue to create new folk dances, but, without the historical evidence on which to base steps and patterns, modern interpretations can have little claim to be authentically Welsh.

William Jones, Llangadfan (1729-1795).

THE LLANGADFAN DANCES

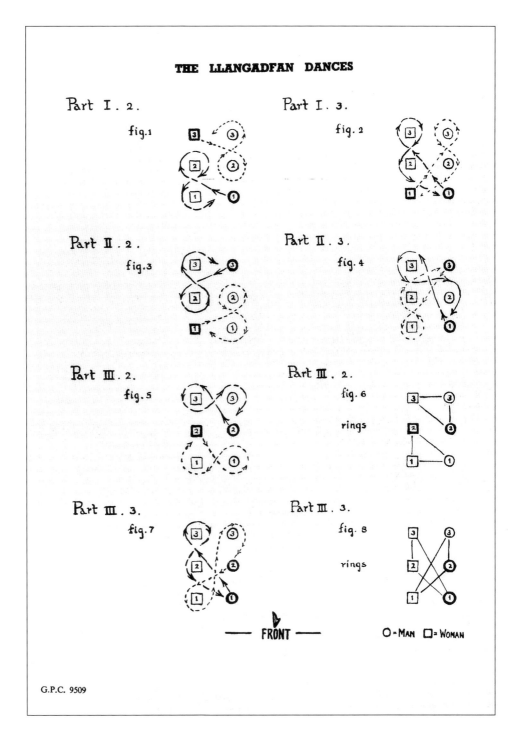

Part I . 2. fig.1

Part I . 3. fig. 2

Part II . 2. fig.3

Part II . 3. fig. 4

Part III . 2. fig. 5

Part III . 2. fig. 6 rings

Part III . 3. fig.7

Part III . 3. fig. 8 rings

— FRONT —

O = MAN   □ = WOMAN

G.P.C. 9509

Diagramau ar gyfer Dawnsfeydd Llangadfan, fel y'u trefnwyd gan Lois Blake a
W.S. Gwynn Williams yn 1954.
Instructional diagrams for the Llangadfan Dances, as arranged by Lois Blake and
W.S. Gwynn Williams in 1954.

Thomas Gruffydd (1815-1888), telynor i Lys
Llanofer o 1844 hyd ddiwedd ei oes.
Thomas Gruffydd (1815-1888), harpist at the
court of Llanover from 1844 until his death.

Llanover Welsh Reel

CYMDEITHAS
DDAWNS WERIN
CYMRU

On St. David's Day, 1918, Mr. and Mrs. T. A. Williams revived this dance with the children of the Llanover School. It was recalled by Lord Treowen, Mrs. Gruffydd Richards (Pencerddes y De) and others, who used to perform the dance to the music of the Welsh Harp at the Llys, Llanover, in the days of Lady Llanover, 30 years previously. The dance was first published in 1933 by W. S. Gwynn Williams in his *"Welsh National Music and Dance"* from notes and exhibitions kindly given by Mrs. Gruffydd Richards and Mr. and Mrs. T. A. Williams.

LLANOVER WELSH REEL

Arr. W. S. GWYNN WILLIAMS

(Copyright 1944 by The Gwynn Publishing Co.)

MUSIC. The first 8 bars of music (A1), repeated once (A2), are played for the " Figure of Eight " and " Towards the Harp." The second 8 bars (B1), repeated once (B2), are played for all other figures. In " Round the Room " the second 8 bars (B), are played 4 times, as there is no " Figure of Eight " before the circle.

Plant ysgol Llanofer yn dawnsio Rîl Llanofer, 1930au.
Llanover schoolchildren dancing the Llanover Reel,
1930s.

Pennod 7.
Dawnsfeydd Nantgarw

*Odd ffair yn Caerffili a ffair yn y Ton. Ffair fas-
nach odd ffair Caerffili yn y bora nes bo dou o'r
gloch, a ffair arall wedyn 'ny. Yn Gaerffili a
ffair y Ton welas i'r dawnsfeydd, a chi'n gweld,
odd hi'n bechod echryslon i ddawnso pan o'n i'n
blentyn. Ond o'n i yn lico gweld dawnso
yn 'yng ngalon.*

Catherine Margretta Thomas, tâp AWC 74, recordiwyd
1955

Mae nifer sylweddol o ddawnsfeydd gwerin wedi
goroesi diolch i gof aruthrol Mrs Catherine
Margretta Thomas o Nantgarw, rhyw chwe milltir i'r
gogledd o Gaerdydd. Wedi'i geni ym 1880, roedd Mrs
Thomas wedi gweld dawnsio pan yn blentyn ifanc
mewn partïon ysgol Sul a llawer o gartrefi lleol, ac yn
ffeiriau Caerffili a Thongwynlais. Cofiai hefyd fod
stepio yn boblogaidd yn ystafell hir y dafarn leol,
er na châi fynd i'w weld. Serch hynny, arferai
wylio'r dawnsfeydd eraill gyda'i thad, gan
fod ei mam, er y siaradai'n aml am
nosweithiau llawen, gan ganiatáu
ambell un yn ei thŷ, yn ystyried eu
bod yn wastraff ar amser a hyd yn
oed yn bechadurus. Roedd y
nosweithiau hyn yn agwedd
bwysig ar fywyd cymdeithasol y
gymuned glòs hon, a gellir tybio
bod y dawnsio yn gymaint o
atyniad i'r pentrefwyr â'r
awyrgylch cyfeillgar:

*Odd gennyn ni hefyd beth o'n ni'n
galw 'noson ddifyr' yn y pentra.
Llawar noson ddifyr. Odd pob un â'i
gylch - odd pawb yn ffrindia, ond odd ryw
gylch i bawb, chi'n gweld. Ag o'n nhw'n
dod - se'n ni'n mynd iddi tai nhw weitha, a
nhw'n dod i'n tŷ ni. A fi welas hen
wraig yn dawnso 'Cwymp Llywelyn'. Ag
fi welas hen ŵr yn dawnso 'Y Marchog'
a dawnso 'Cilog y Rhetyn'.[1]*

Mrs Catherine Margretta Thomas
(1880 - 1972).

Chapter 7.
The Nantgarw Dances

*There was a fair at Caerphilly and a fair at the
Ton [Tongwynlais]. Caerphilly had the commer-
cial fair in the morning, until two o'clock, and
the other kind of fair after that. It was at the
Caerphilly and Ton fairs that I saw the dances.
You see, it was a terrible sin to dance when I was
a child. But I really loved to see the dances.*

Catherine Margretta Thomas, MWL tape 74, recorded
1955 [Translated from the Welsh]

A substantial number of folk dances have survived
thanks to the remarkable memory of Mrs
Catherine Margretta Thomas of Nantgarw, some six
miles north of Cardiff. Born in 1880, Mrs Thomas rec-
ollected seeing dancing as a child at the local Sunday
school tea-party, as well as in many local homes and at
Caerphilly and Tongwynlais fairs. She also recalled
stepping being popular in the 'long room' of the
local tavern, although she herself was never
allowed to witness it. Margretta, however,
watched the other dances with her
father, for her mother, despite often
talking of the *nosweithiau llawen*
(merry evenings) and even allow-
ing them in her own house,
regarded them as frivolous,
timewasting and even sinful.
These evenings evidently
enhanced the social life of this
close-knit community, with vil-
lagers presumably attending as
much for the dancing as for the
friendly atmosphere:

*We also had what we called a 'noson
ddifyr' [a night of entertainment] in the
village. Many such nights. Everyone had
their own circle - we were all friends, but you
had your own circle, you know. And
they'd come - we'd go to their houses
sometimes, and they would come to ours.
And I saw an old man dance
'The Horseman' and 'The Grasshopper
Dance'.[1] [Translated from the Welsh]*

Byddai'r mwyafrif o ddawnsfeydd Nantgarw a Groes-wen yn cael eu perfformio gan bedwar pâr o ddawnswyr, tra oedd y dawnsfeydd yn ffeiriau Caerffili a Thongwynlais ar gyfer chwe phâr. Câi dawnsfeydd awyr agored eu cynnal mewn lle agored, gyda rhaff o'i gwmpas, islaw Capel y Twyn yng Nghaerffili, ar lawr pren a osodid adeg y ffeiriau. Byddai'r dawnsio i gyfeiliant y delyn fel rheol, er nad oedd Margretta Thomas yn cofio'r un o'r ceinciau a genid. Os nad oedd telyn ar gael, byddai acordion neu chwibanogl dun yn llawn digon da:

Odd Edmwnd y mrawd â whistl dun. Odd a'n gallu whara jest popith. Odd a'n whara acordion a whistl dun a phopith. A os basa Eli y telynor dæll ddim adre, o'n nhw'n moyn Edmwnd, a nhw'n mynd i gornal y cæ'r Dyffryn, lawr man'yn. A chi'n clywad y whistl dun, y plant yn ritag i weld nhw'n marfar dawnso. A tyna lle welas i Dawns Blota' Nantgarw.[2]

Yn y ffeiriau byddai'r arweinydd, neu'r galwr, yn casglu unrhyw arian a gâi ei daflu ar y llieiniau gwyn a roddid o fewn y rhaffau. Am dâl bach, gallai'r gwylwyr ofyn am ddawns benodol:

Ac odd y telynor yn dod, a pwy amsar odd y dawnswyr erill yn mynd, o'n nhw'n cwnnu y pishyn brethyn ny - a nhw odd bia hwnna. A wedi 'ny odd y næll yn dod a doti pishyn brethyn ar y llawr, a wedyn basech yn gweiddi a o'n nhw'n mynd ag e a shoto swllt arnyn nhw. A wedi 'ny odd y telynor yn dychra.[3]

The dances performed at Nantgarw or Groes-wen were mainly for four couples, while those at Caerphilly and Tongwynlais fairs were danced by six couples. Outdoor dances took place on a roped-in open space below Twyn Chapel at Caerphilly, on a wooden floor laid down whenever fairs were held. Dancers were usually accompanied by a harpist, although Margretta Thomas remembered none of the melodies played. If no harp was available they would cheerfully make do with an accordion or tin whistle:

Edmund my brother had a tin whistle. He could play almost everything. He played the accordion and the tin whistle. And if Eli the blind harpist wasn't at home, they'd get Edmund and go down to the corner of Dyffryn field, down there. And when you'd hear the tin whistle, the children ran to watch them practising the dancing. And there's where I saw the Nantgarw Flower Dance.[2] [Translated from the Welsh]

At the fairs the master of ceremonies, known as *y galwr* (the caller), collected any money thrown down on the white cloths that had been placed inside the ropes. For a small fee, specific dances could be requested by spectators:

Then the harpist would come, and when the first group of dancers would go, they would take that piece of cloth - it was theirs. And then another group would come and put their cloth on the floor, and you'd shout and throw your shilling on the cloth. Then the harpist would begin.[3] [Translated from the Welsh]

Dawnswyr Nantgarw yn perfformio Dawns y Pelau.
Nantgarw Dancers performing the Ball Dance.

Dawnswyr Nantgarw yn perfformio Dawns Flodau Nantgarw yng Ngerddi'r Dyffryn, 1990au
Nantgarw Dancers performing the Nantgarw Flower Dance at Dyffryn Gardens, 1990s.

Cofiai Margretta Thomas stepiau'r ddawns yn glir ddeng mlynedd a thrigain yn ddiweddarach. Yn Nawns Ceiliog y Rhedyn, byddid yn dynwared y pryfyn drwy blygu ac ysgwyd y breichiau fel adenydd, gan guro ochrau'r corff â'r penelinoedd a chodi un droed i rwbio'r llall a gweiddi 'Cwch! Cwch! Cwch!'. Câi Dawns Gŵyl Ifan (neu Ddawns Groes-wen) ei pherfformio ym mhartïon te y Llungwyn a drefnid gan y capel a'r eglwys yn Nantgarw, a hefyd yng Ngroes-wen. Yn draddodiadol, â'r ddawns hon yr arferid cloi dawnsio'r haf ar Noson Gŵyl Ifan. Gallai Margretta Thomas gofio'r dawnswyr yn gorffwys ac yn newid mewn dwy babell gerllaw, ac fel y byddai un parti o ddawnswyr gweddol hen bob amser yn cilio i ben pella'r cae i ymarfer eu dawn, efallai i osgoi codi cywilydd ar rai mwy parchus na'i gilydd.[4] Er gwaethaf ei hatgofion melys am y dawnsio, gwaharddai ei phlant ei hun rhag mynd i'r ffeiriau lleol. Flynyddoedd wedyn, fodd bynnag, disgrifiodd y dawnsfeydd i'w merch y Dr Ceinwen Thomas, a gofnododd y dawnsfeydd yn ddiweddarach ar bapur. Cawsant eu cyhoeddi gan Gymdeithas Ddawns Werin Cymru ym 1954 a'u diogelu felly i ddawnswyr y dyfodol.

The dance steps remained clear in Margretta Thomas' mind seventy years later. In the Grasshopper Dance, the insect was imitated by the bending and shaking of arms like wings, beating one's sides with elbows and raising one foot to rub the other with shouts of 'Cwch! Cwch! Cwch!'. *Dawns Gŵyl Ifan* ('The Dance of St John's Eve', or the Groes-wen Dance) was performed at the Whit Monday tea-parties held by the local chapel and church at Nantgarw, and at Groes-wen. It traditionally marked the end of summer dancing on Midsummer Eve. Margretta Thomas recalled that the dancers rested and changed in two nearby tents, and that one ageing group, perhaps conscious of the susceptibilities of the more 'godly' passers by, always retreated to the far end of the field to perform.[4] Despite her happy childhood associations with the dance, Mrs Thomas forbade her children from attending local fairs. Many years later, however, she described the dances to her daughter Dr Ceinwen Thomas, who later became the first to note them down on paper. They were eventually published by the WFDS in 1954, and were thus preserved for future generations of dancers.

Step y Glocsen

Chapter 8

Clog Dancing

Wedi cael tôn ar y ffeif - un wyllt-siongc-nwyfus, - dyma modryb Gwen yn gwaeddi yr eiltro, 'Roli tyr'd i'r llawr', a'r hen ŵr yn ufuddhau i'r alwad mewn munud; er dangos hyn, dyna fo yn taflu ei ddwy glocsan, ac yn piccio ati hi i agor y ddawns! Yr oedd yno o leiaf saith ohonynt wrthi hi yn ysgwyd eu berrau yn hwylus heinyf!

After a tune on the flute - a wild brisk-spirited one - Auntie Gwen called a second time, 'Roli, come to the floor'; and the old man obeyed the call in a moment. To show this, he flung his two clogs, and went at it to open the dance! There were at least seven of them at it shaking their ankles with orderly liveliness!

Glasynys, (Owen Wynne Jones, 1828-70), *Cymru Fu* (1862)

Glasynys, (Owen Wynne Jones, 1828-70), *Cymru Fu* (1862)
[Translated from the Welsh]

Er gwaethaf y diwygiadau crefyddol o'r ddeunawfed hyd at yr ugeinfed ganrif, llwyddodd step y glocsen (neu ddawns y glocsen) i barhau'n rhan o'n traddodiad byw, a cheid clocswyr ymron bob pentref yng Nghymru hyd at yr Ail Ryfel Byd. Roedd clocsiau yn hynod o ymarferol, yn gysurus i'w gwisgo ac yn gynnes dan draed, ac roedd eu gwadnau trwchus yn boblogaidd iawn gan lowyr a gweithwyr eraill a lafuriai ar wyneb anwastad. Câi stepio ei berfformio'n aml gan ddawnswyr unigol ar loriau pren dan do, o olwg llygaid cilwgus y gweinidogion Anghydffurfiol ac i osgoi dawnsio cymysg a ystyrid yn anfoesol. Ffynnai dawns y glocsen o'r herwydd, yn enwedig ymhlith carfanau cymdeithasol mwy ymylol, megis y sipsiwn, nad oeddynt gymaint o dan ddylanwad yr arweinwyr crefyddol. Un ddolen allweddol yn y gadwyn oedd Howel Wood o'r Parc, Y Bala, aelod o'r teulu enwog o sipsiwn o Ogledd Cymru, a fu farw ym 1967. Cofnodwyd Howel Wood yn dawnsio ar ffilm yn *The Last Days of Dolwyn* (1949), lle mae'n stepio ar ben bwrdd, ac yng Nghastell Sain Ffagan (1961) i gyfeiliant telyn Nansi Richards Jones. Yn rhan o linach enwog o ddawnswyr y glocsen, mae olynwyr Howel Wood yn cynnwys Len Roberts, Llanfyllin; Gwyn Williams, Bangor; Caradog Puw, Llanuwchllyn, ac, yn fwy diweddar, Owen Huw Roberts, o Ynys Môn, sydd oll wedi dysgu eu crefft i ddwsinau o ddisgyblion.

Gellir cynhyrchu pedwar amrywiad acwstig â'r sawdl, pelen y droed, sawdl a bysedd y droed ar y llawr a thrwy daro'r naill glocsen yn erbyn y llall,[1] ac oherwydd natur gystadleuol dawnsio'r glocsen yng Nghymru, perfformir y mwyafrif o'r stepiau â grym a phenderfyniad aruthrol. Mae'r dawnswyr yn ymhyfrydu yn eu cryfder a'u

Despite the religious revivals of the eighteenth, nineteenth and early twentieth centuries, clog or step dancing managed to survive in living tradition, and until the Second World War almost every village in Wales had its clogmaker. Being extremely practical, comfortable to wear and warm underfoot, clogs, with their thick soles made them popular with colliers and all others who worked on uneven surfaces. Stepping was frequently performed by soloists on wooden floors indoors, away from the prying eyes of Nonconformist ministers and avoiding the supposedly immoral mixing of the sexes. Consequently, clog dances continued to prosper, particularly among marginal social groups, such as gypsies, who were less influenced by the condemnation of religious leaders. A vital link in the chain was Howel Wood (died 1967) of Bala, of the renowned north-Walian gypsy family. The all-too-brief filmed appearances of Wood in action include stepping on a table-top in *The Last Days of Dolwyn* (1949) and to the accompaniment of harpist Nansi Richards Jones at St Fagans Castle in 1961. Forming an illustrious line of steppers, Howel Wood's successors included Len Roberts, Llanfyllin; Gwyn Williams, Bangor; Caradog Puw, Llanuwchllyn, and, more recently, Owen Huw Roberts, from Anglesey. These steppers subsequently taught their skill to dozens of others.

Four acoustic variants can be produced by the heel, ball, heel and toe on floor, and wood on wood, knocking one clog against the other[1] and, as Welsh clog dancing is primarily competitive in nature, most of the steps exude power and athleticism. Dancers revel in their strength and stamina, and he or she who executes

Howel Wood (1882-1967),
- y clocsiwr o dras Romani o ardal y Bala, gogledd Cymru.
- the Romany gypsy clog dancer from Bala, north Wales.

dygnwch a bydd y sawl sy'n cyflawni'r symudiadau mwyaf egnïol a chymhleth yn ennill y wobr gyntaf ac edmygedd y gynulleidfa. Roedd hen ddawnsiwr clocsiau penigamp y cofiai Eddie Thomas (a anwyd ym Mhont-rhyd-y-fen, Morgannwg, ym 1887) amdano yn sicr yn haeddu gwobr gyntaf answyddogol - byddai yn aml yn dawnsio'r holl ffordd adref o'r dafarn gan ei fod yn rhy feddw i gerdded![2] Câi cystadlaethau stepio eu cynnal mewn tafarndai yn aml ac felly nid oedd yn anghyffredin i ddawnswyr feddwi.

Er mai stepiau yw prif elfen y ddawns, sy'n dechrau'n syml fel rheol ond yn arwain at uchafbwynt egnïol, mae personoliaeth ac osgo llawn cyn bwysiced i gyfathrebu'n llwyddiannus â'r gynulleidfa. Fel y dywed Owen Huw Roberts (ganwyd 1931), a fu'n bencampwr dawnsio'r glocsen deirgwaith yn yr Eisteddfod Genedlaethol yn ystod y 1960au:

Ma' personoliaeth yn bwysig efo dawns unigol ... Fedrwch chi gael traed fel Fred Astaire ... ond os 'dach chi'n mynd efo wyneb hir, golwg hollol 'bored' arnoch chi, wel, dach chi ddim yn mynd i gyfleu ... rhaid i chi werthu'ch hun a'ch dawns i'ch gynulleidfa a'u denu nhw ... 'drychwch arna'i', felly ... Dawns orchestol ydy hi ... dawns ymffrostgar ... dawns lle bydda y dynion am y gora yn dangos eu medrusrwydd, neu dangos eu hunain, os liciwch chi, ac yn ymfalchio yn eu cryfder a'u gallu i wneud rhyw gamp na all neb ei ddynwared.[3]

Er bod y rhan fwyaf o'r disgrifiadau hanesyddol yn cyfeirio at ddynion, ysgrifennodd John Parry ('Bardd Alaw') yn ei ail gyfrol o *The Welsh Harper* ym 1848:

Welsh jigs ... used formerly to be danced at all weddings and wakes in Wales, by a male and female, as long as either could hold out, when another person would jump up and foot it featly. It has frequently been the case that a merry Welsh lass has danced three men down, to the great amusement of the company.[4]

Yn nes ymlaen byddai merched yn cael eu cynghori i beidio â pherfformio'r stepiau arbennig o fywiog. Ystyrid bod llamu'n uchel, stepio Tobi (sy'n debyg i

the most strenuous and difficult movements wins both first prize and the admiration of the audience. An unofficial first prize might well have been awarded to an excellent old clog-dancer, remembered by Eddie Thomas (born at Pont-rhyd-y-fen, Glamorgan, in 1887) who frequently left the local tavern drunk and, although unable to walk, still managed to dance all the way home![2] Stepping contests were often held in public houses and inebriated dancers were certainly no rarity.

While steps provide the main element of the dance, which usually begins simply but leads to an energetic climax, personality and good deportment are equally important in establishing rapport with the audience. One who amply possessed these qualities is Owen Huw Roberts (born 1931), three times National Eisteddfod clog-dancing champion during the 1960s. The extent to which he mesmerised spectators in his heyday is captured by the reaction of fellow clog-dancer Huw Williams, who saw him perform at a concert in Bala in the mid-1970s:

My memory has sort of glazed it, or glossed it up more than it was, but I remember this long, slim broom that he had and as he danced he used to swing it in the air, you know ... and you could hear this broom just whistling in the wind ... and his clogs were gold. I think they were actually just highly polished brown, but they looked gold. ... And he had these two harpers playing for him, vamping and playing away. I think he was going so fast that in the end they just gave up playing the melody line and just vamped, just vamped out chords, and it was wonderful, absolutely wonderful. Marvellous steps, and a lot of the steps were his ... I've always said I had two heroes when I was fourteen. One was George Best and the other one was Owen Huw Roberts, and they were my two heroes. I think George Best probably came second actually. I would have rather have had a day with Owen Huw Roberts than George Best.[3]

Although most historical accounts of stepping refer to males, John Parry ('Bardd Alaw') wrote in his second volume of *The Welsh Harper* in 1848:

Certainly, in more recent times, women were discouraged from practising particularly vigorous steps. High leaps, Toby stepping (a style similar to Cossack

Owen Huw Roberts yn dawnsio i gyfeiliant David Elio Roberts ar y delyn, a Robert Ifor Roberts ar y clarinet.
Owen Huw Roberts dancing to the accompaniment of David Elio Roberts on the harp,
and Robert Ifor Roberts on the clarinet.

Cystadleuwyr ar ddawns y glocsen, Eisteddfod Genedlaethol y Bala, 1997.
Clog dance competitors, Bala National Eisteddfod, 1997.

ddawnsio Cosac) a neidio dros ysgub i gyd yn anfenywaidd:

Ni ddylai merch arddangos y rhan o'i chorff sydd o angen-rhaid yn rhan o ferch, trwy ystum na step i unrhyw offer, megis ysgub, rhaw, brwsh, cribin, etc. - offer ag iddo goes. Cofied mai naid dros yr ysgub oedd yn gyfystyr â phriodas i'r sipsiwn, hynnu.yw cyfystyr â cholli gwyryfdod.[5]

Erbyn heddiw, fodd bynnag, mae llu o ddawnswragedd clocsiau, a thrwy greu dawnsfeydd ar gyfer menywod yn benodol maent hwy wedi datblygu eu harddull eu hunain yn hytrach na dynwared y dynion.

Mae dawnsio'r glocsen yn parhau'n hynod o boblogaidd yng Nghymru. Mae iddo le amlwg yng nghystadlaethau'r Urdd a'r Eisteddfod Genedlaethol ac mae'n rhan o *repertoire* y mwyafrif o bartïon dawns. Bydd y dawnswyr yn ymdrechu'n galed i greu argraff ar y beirniaid drwy berfformio dawnsfeydd mwyfwy cymhleth a thanbaid, gan gyfuno'r stepiau traddodiadol â symudiadau modern cyffrous. Er mwyn diogelu'r camau a'r patrymau hyn bydd dawnswyr adnabyddus yn cynnal gweithdai i drosglwyddo eu crefft i lanciau a llancesi brwd.

dancing) and jumping over a broomstick were all supposedly unfeminine, revealing:

that part of her body that is essentially a woman's, in gesture or step, to any prop, be it broom, spade, rake etc ... Remember that a leap over a broom handle was synonymous with marriage to the gypsies, in other words with losing virginity.[5]

Nowadays, however, female clog dancers abound, and by creating their own dances have evolved a style of their own, rather than merely imitating the men.

Clog dancing continues to remain extremely popular in Wales, maintaining a prominent position in the *Urdd* and National *eisteddfodau* and practised by most dance groups. Performers seek to impress the judges by creating increasingly complicated and flamboyant routines, combining the traditional with exciting modern movements. Workshops by eminent clog dancers ensure the preservation of such steps and patterns by the transfer of their art to enthusiastic youngsters.

Hywel Davies, gwneuthurwr clocsiau, wrth ei waith.
Hywel Davies, clog maker, at his work.

Sbardun y 'Steddfod

Chapter 9

The Spur of Competition

Wedi'i hesgor yn Lloegr, fe ddâth y gymdeithas adre i'w magu yng Nghymru ... Fe sylweddolodd Lois Blake fod yn rhaid wrth fam-faeth i fagu'r gymdeithas os oedd hi'n mynd i adennill y tir oeddan ni wedi'i golli ... felly mi benderfynodd hi ffarmio dawnsio gwerin i'w fagu i'r Urdd.

Alice Williams (llywydd Cymdeithas Ddawns Werin Cymru, 1986-94), tâp AWC 8576, recordiwyd 1997

Having been born in England, the society was brought home to be raised in Wales ... Lois Blake realised that a foster-mother was needed for the society if it was to regain the ground that we had lost ... so she decided to hand over Welsh folk dancing to be nurtured by the Urdd.

Alice Williams (president of the WFDS, 1986-94), MWL tape 8576, recorded 1997 [Translated from the Welsh]

Er mai Lois Blake oedd y ffigur blaenllaw yn adfywiad dawnsio gwerin yng Nghymru, cafodd ei hyrwyddo i ddechrau gan sefydliad hollol Gymreig, Urdd Gobaith Cymru. Mor gynnar â 1933, roedd yr Urdd (a oedd wedi'i sefydlu un mlynedd ar ddeg ynghynt gyda'r amcan o gyflwyno i bobol ifanc amrywiaeth eang o weithgareddau diwylliannol a chwaraeon), wedi ffilmio parti o blant o Lanofer yn perfformio eu dawnsfeydd enwog. O 1943 hyd ei hymddeoliad ddeng mlynedd ar hugain yn ddiweddarach, bu Gwennant Gillespie (Davies gynt) o Aberystwyth yn un o brif drefnwyr gweithgareddau'r Urdd, gan gynnwys dawnsio, ynghyd â swyddogion eraill megis Alice Williams (aelod cynnar o Gymdeithas

Although Lois Blake was the leading figure in the folk dancing revival in Wales, it was initially promoted by a peculiarly Welsh institution, *Urdd Gobaith Cymru* (The Welsh League of Youth). As early as 1933, the *Urdd* (formed eleven years earlier with the aim of introducing young people to a broad range of cultural and sporting activities) had filmed a group of Llanover schoolchildren performing their celebrated dances. From 1943 until her retirement thirty years later, Gwennant Gillespie (*née* Davies) of Aberystwyth played a major role in organising *Urdd* activities, dancing included, along with other officials such as Alice Williams (an early member of the WFDS), Tomi Scourfield and Evan Isaac. It was Gillespie who

Parti'r Gest, cystadleuwyr yn Eisteddfod Genedlaethol 1955.
Parti'r Gest, competitors in the 1955 National Eisteddfod.

Parti Dawns Urdd Gobaith Cymru, buddugol yn y brif
gystadleuaeth ddawns yn yr Eisteddfod Genedlaethol yn
Aberdâr, 1956.
The dance party of *Urdd Gobaith Cymru*, who won first prize
in the main dancing competition at the National Eisteddfod
in Aberdare, 1956.

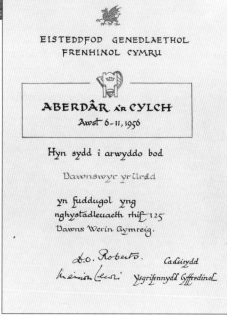

Llwyddiant eisteddfodol! Tystysgrif fuddugol
Parti Dawns yr Urdd, 1956.
Eisteddfod triumph! The *Urdd* dance party's win-
ners' certificate, 1956.

Cwmni Dawns Werin Caerdydd yn cystadlu yn Eisteddfod yr Urdd, 1975.
Cwmni Dawns Werin Caerdydd competing at the Urdd Eisteddfod, 1975.

Ddawns Werin Cymru), Tomi Scourfield ac Evan Isaac. Gwennant Gillespie a gyflwynodd Lois Blake i'r Urdd drwy ei gwahodd i ddysgu dawnsfeydd traddodiadol ar gwrs Nadolig ym Mhantyfedwen, Y Borth, ger Aberystwyth, ym 1948. Wedi hyn, cynhwyswyd dawnsio gwerin yn y rhaglen hyfforddi ar gyfer arweinwyr yr Urdd ym 1949, a daeth cystadlaethau dawnsio yn rhan o eisteddfod flynyddol y mudiad, gan ledaenu'r traddodiad i gynulleidfa ehangach. Cafodd nifer fawr o bartïon dawns eu ffurfio ledled Cymru yn y 1950au yn sgil yr hwb a roddwyd i ddawnsio gan yr Urdd a Chymdeithas Ddawns Werin Cymru. Bu cystadlaethau dawns yn Eisteddfod Ryngwladol Llangollen (1948) a'r Eisteddfod Genedlaethol (o 1951) yn fodd i godi safonau drwy gynnig llwyfan cenedlaethol i bartïon a geisiai berffeithrwydd yn eu hymdrech i gipio buddugoliaeth. Fel y nododd Gwennant Gillespie:

introduced Blake to the *Urdd* by inviting her to teach traditional dances at a Christmas course at Pantyfedwen, Borth, near Aberystwyth, in 1948. The subsequent inclusion of folk dance in the *Urdd* leaders' training programme in 1949, and of dance competitions in the movement's annual *eisteddfod* drew the attention of a wider audience. The impetus provided by both the *Urdd* and the WFDS gave rise to the formation of numerous dance parties across Wales during the 1950s. Dance contests in both the Llangollen International Musical Eisteddfod and the National Eisteddfod (from 1948 and 1951 respectively) helped to raise standards by offering a national stage for groups who sought perfection in their quest for victory. As Gwennant Gillespie noted:

Little by little, the interest of the 'Urdd' leavers grew, fostered by the competition at the 'Urdd Eisteddfod', by the influence of the Irish dancers in the annual Inter-Celtic gatherings, and by the near-professional exhibitions by mixed groups at the Llangollen Eisteddfod. By the time Mrs Blake gave us the Nantgarw and Caerphilly dances, folk-dancing among 'Urdd' members - particularly the older Aelwyd members - had achieved a new dimension and become a creative and satisfying experience.[1]

Yr Urdd oedd y gyntaf i roi cnawd ar esgyrn sychion y dawnsfeydd hyn a chreu traddodiad byw unwaith eto o'r wybodaeth a gasglwyd ar bapur. Oni bai am hyn, buasai'r holl waith casglu yn ymarfer academaidd defnyddiol a dim mwy.

It was the *Urdd* which first brought life and vitality to the printed word, for if the dances are not performed, their collecting remains a mere academic exercise.

Dawnswyr Glancleddau
- yn Eisteddfod Genedlaethol Aberystwyth, 1992
- at the Aberystwyth National Eisteddfod, 1992

It is no exaggeration to state that the popularity of the public folk-dances ... has spread like wildfire through some of our rural areas. Young people in these parts are travelling away from home on an average of two nights a week to attend these packed-out 'twmpathau' ... The 'twmpath' is looked upon as an evening out, the young people go to enjoy themselves, and in the mass movement, no-one has much time to concern himself with correctness of form and purity of tradition.

Dawns, 1959-60

Yn ogystal â sefydlu dawnsio gwerin ar lwyfan yr eisteddfod, roedd yr Urdd hefyd yn gyfrifol am ffenomen y twmpath a gyrhaeddodd ei hanterth yng Nghymru yn gynnar yn y 1960au. Yng Ngŵyl Werin Genedlaethol gyntaf yr Urdd a gynhaliwyd mewn pafiliwn yng Nghorwen ym 1958, cymerodd 300 o ddawnswyr ran mewn dawns arddangos ddwy awr o hyd yn y prynhawn, a daeth 800 i'r twmpath yn y nos. Cynhaliwyd yr ŵyl hon bob yn ail flwyddyn hyd 1970, ac yn ystod y cyfnod hwn y twmpath oedd prif adloniant Cymry Cymraeg ifainc, yn enwedig mewn ardaloedd gwledig.

As well as establishing folk dance on the *eisteddfod* stage, the *Urdd* was also responsible for the barn dance phenomenon which reached its peak in Wales during the early 1960s. At the *Urdd's* inaugural National Folk Festival, held in a pavilion in Corwen in 1958, 300 performers took part in a two-hour dance display in the afternoon and 800 attended the evening *twmpath*. This festival continued biennially until 1970, during which time barn dances overshadowed all other forms of entertainment among young Welsh speakers, particularly in rural areas.

TWMPATH DDAWNS

Llun / Cartoon: Dafydd Palfrey.

Byddai'r ddawns yn dechrau tua 8 o'r gloch y nos ac yn gorffen yn brydlon am 11. Mwynhad oedd y prif nod. Roedd y dawnsfeydd yn syml ac nid oedd angen gwisg arbennig. Roedd dawnsfeydd cylch yn arbennig o boblogaidd gan fod y rhain yn galluogi'r ddwy ryw i gymysgu â'i gilydd. Dawnsfeydd Seisnig ac Americanaidd oedd y mwyafrif ohonynt, wedi'u perfformio i recordiau Gwyddelig ac Albanaidd, hyd nes i Fand y Gwerinwyr gael ei ffurfio yn Llan-non, ger Aberystwyth, ym 1964, i chwarae i'r twmpathau, gan ddefnyddio alawon Cymreig am y tro cyntaf. Roedd y grŵp offerynnol yn cynnwys piano, acordion, drymiau a dau gitâr, ac erbyn Nadolig 1971 roedd wedi perfformio mewn mil o ddawnsfeydd![1]

Daeth y twmpath mor boblogaidd fel y cynhyrchodd yr Urdd lyfryn o gyfarwyddiadau ym 1970 ar sut i gynnal twmpath llwyddiannus, sef *Cyfarwyddiadau Dawnsiau Twmpath*. Roedd yn rhaid paratoi'r rhaglen ymhell ymlaen llaw fel na fyddai dawnsfeydd cyffelyb yn dilyn ei gilydd ac i roi amser i'r galwr roi'r holl ddawnsfeydd ar gof a dangos y stepiau a'r ffigurau os oedd angen. Roedd 'galw' yn grefft ynddo'i hun, gan fod yn rhaid i'r galwr fanylu ar y patrwm nesaf cyn iddo gael ei ddawnsio. Byddai Gwyn Griffiths, swyddog yr Urdd rhwng 1961 a 1964, pan oedd cryn alw amdano fel galwr, hefyd yn defnyddio'r ddyfais ganlynol rhwng dawnsiau:

Fel odd un dawns yn dod i ben, roedd rhyw fath o patter fach o gymeradwyaeth, ac o'n i'n gweud 'diolch yn fawr, a'r ddawns nesaf fydd Rhwng Dwy - bachgen a dwy ferch', a wedyn o'n i'n galle troi lawr a whilo am y record. A wedyn o'n nhw gyd yn sgathru am bartneriaid cyn fod nhw'n gadel y llawr yndyfe. Achos os o'n nhw'n gadael y llawr i mynd i ishte lawr, wedyn 'ny, odd hi'n fwy anodd i'w câl nhw nôl ar y llawr[2]

Pe bai pawb yn gadael y llawr, byddai tri neu bedwar o stiwardiaid ar gael i'w hannog i ddychwelyd. Gan nad oedd dawnswyr dibrofiad yn gyfarwydd â'r dechneg gywir, gan dueddu i brancio yn lle dawnsio a neidio'n rhy uchel, byddai'r galwyr yn ceisio gwella safonau drwy feithrin agwedd drefnus a choethi dulliau dawnsio. Cyfrifoldeb y galwr hefyd oedd sicrhau bod pawb yn cydymffurfio â defodau'r ddawns. Wedi i fachgen ofyn i ferch am ddawns roedd disgwyl iddo foesymgrymu yn ystod y cordiau agoriadol a therfynol cyn diolch iddi a'i hebrwng yn ôl i'w chadair.

Ar ôl llwyddiant mawr y 1950au a'r 1960au, gwelwyd dirywiad sydyn ac annisgwyl braidd ym mhoblogrwydd

Proceedings commenced around 8pm and ended promptly at 11pm. Enjoyment was the main objective; dances were simple and no special dress was required. Circular dances were especially popular, for these encouraged gender mixing. The dances were mostly English and American, performed to Irish and Scottish records, until the formation of *Band y Gwerinwyr* at Llan-non, near Aberystwyth, in 1964 to accompany *twmpathau*, when Welsh tunes were used for the first time. The instrumental group included a piano, accordion, drums, and two guitars, and by Christmas 1971 had performed at a thousand dances![1]

Barn dancing had become so popular that in 1970 the *Urdd* produced an instructional booklet on how to host a successful barn dance, entitled *Cyfarwyddiadau Dawnsiau Twmpath* ('Instructions for *Twmpath* Dances'). The programme had to be prepared well in advance so that no two similar dances occurred successively, and to give the caller time to memorize all dances thoroughly and demonstrate steps and figures if required. There was considerable skill to 'calling', for the caller had to specify the next pattern in advance of its being danced. Gwyn Griffiths, an *Urdd* official between 1961 and 1964, when he was in great demand as a caller, also used the following ploy between dances:

When one dance ended there would be a sort of applause, and then I would say 'thank you very much, and the next dance will be 'Rhwng Dwy' - boy and two girls', and then I'd turn and find the next record. And then they'd all rush for part-ners before leaving the floor. Because if they left the floor to sit down, it was much harder to get them back again[2]
[Translated from the Welsh]

If the floor emptied, three or four stewards would be present to urge dancers back on. As inexperienced dancers were often ignorant of the right technique, tending to skip for every dance and impulsively jump too high, callers sought to improve standards by nur-turing an orderly approach and developing a style. It was also the caller's responsibility to ensure that danc-ing etiquette was observed. After the male had approached the female to request the next dance, he was expected to bow to her during the opening and closing chords before thanking her and returning her to her seat.

Having enjoyed so much success during the late 1950s and 1960s, the *twmpath* surprisingly experienced a sharp decline in popularity in the 1970s. Conflicting theories have been advanced to account for this.

y twmpath yn ystod y 1970au. Cynigiwyd damcaniaethau gwahanol i egluro hyn. Yn ôl Alice Williams, y ddiod gadarn ac ymddygiad anhrefnus a oedd yn gyfrifol, fel yn achos yr hen wyliau mabsant a thaplas:

O dipyn i beth fe âth o'n boblogaidd i yfed alcohol cyn dod 'na a ryw rowlio i mewn tua deg o'r gloch pan oedd hi'n 'stop tap', ac wrth gwrs, dyna laddodd y twmpathe. Petha odd bobol yn feddwl oedd yn hawdd pan on nhw'n sobor, on nhw'n gymhleth ddiawchedig pan oedd 'na dipyn bach o ddiferyn bach coch.

Credai Gwyn Griffiths, ar y llaw arall, mai methiant y galwyr i drosglwyddo eu crefft i'r genhedlaeth nesaf oedd yn bennaf gyfrifol, ynghyd â chost enfawr cyfarpar annerch y cyhoedd. Cyfeiriodd hefyd at y cyngherddau pop newydd cyffrous, gyda chantorion megis Dafydd Iwan, a hudodd bobl ifainc i ffwrdd o'r twmpathau hen-ffasiwn. Beth bynnag oedd y rheswm, erbyn dechrau'r 1970au roedd oes aur y twmpathau ar ben ac roedd cerddoriaeth swnllyd y discotec modern yn eu prysur ddisodli.

According to Alice Williams, as with the old *mabsant* and *taplas* festivals, alcohol and rowdy behaviour were to blame:

Gradually it became fashionable to drink alcohol before coming, and to roll in about ten o'clock after stop-tap. Of course, that's what killed off the 'twmpathau'. The things that people considered simple when they were sober became hellishly difficult when there was a drop of the hard stuff inside them.[3] [Translated from the Welsh]

Gwyn Griffiths, on the other hand, thought that the failure of callers to transfer their art to the next generation was crucial, along with the prohibitive cost of essential public address equipment. He also cited the emergence of new and exciting light-music concerts, featuring artists like Dafydd Iwan, for enticing young people away from the old-fashioned barn dances. Whatever the reason, by the early 1970s the once thriving *twmpathau* were dwindling and rapidly giving way to the thumping beats of the modern discotheque.

REEL STEP

Llun / Cartoon: Dafydd Palfrey.

44

Pennod 11.

Sidan a Rhubanau

Mae'r wisg, y dawnsio, y gerddoriaeth, i gyd
yn un. Un briodas ydy o, a mae o'n dangos
ni fel Cymry mewn cyfnod arbennig.

Huw Roberts, tâp AWC 8580, recordiwyd 1997

Gydag ailgreu'r dawnsfeydd, daeth yr awydd i ail-greu gwisgoedd addas hefyd. Ar wahân i ddawnsfeydd defodol, megis y Cadi Ha', mae'n debyg mai gwisgo dillad pob dydd eu cyfnod y byddai'r bobl a berfformiai'r dawnsfeydd gwlad a ddisgrifir yn llyfrau Playford a Walsh o'r ail ganrif ar bymtheg a'r ddeunawfed ganrif, a chan William Jones o Langadfan ym 1790. Fodd bynnag, gydag adfywiad dawnsio gwerin yn ail hanner yr ugeinfed ganrif, daeth gwisg yn destun dadl. Gan mai perfformio a chystadlu'n gyhoeddus yw prif nod dawnswyr gwerin heddiw, mae disgwyl iddynt wisgo gwisg genedlaethol Gymreig. Mae hyn yn peri cryn anghysur i buryddion oherwydd bod y wisg 'draddodiadol' hon mewn gwirionedd yn ffrwyth dychymyg rhamantaidd Augusta Hall (1802-96), neu Arglwyddes Llanofer, gwraig meistr haearn o'r bedwaredd ganrif ar bymtheg. Ystyriai y gallai'r Cymry ddefnyddio gwisg fel arwydd o'u hunaniaeth, ac felly perswadiai ei chyfeillesau i wisgo'r dillad a

Chapter 11.

Silks and Ribbons

The costumes, the dancing, the music, are all
one. It's one marriage, and it presents us as
Welsh people in a particular period.

Huw Roberts, MWL 8580, recorded 1997
[Translated from the Welsh]

In recreating the dances, it also became desirable to recreate suitable costumes. Unless engaged in ritual dances, such as the Cadi Ha', the dancers mentioned in the seventeenth- and eighteenth century publications of Playford and Walsh, and those described by William Jones of Llangadfan in 1790, presumably wore the everyday dress of their period. However, with the revival of folk dancing in the latter part of the twentieth century, costume became a subject for debate. As folk dancing today is primarily for public performance and competition, dancers are expected to wear Welsh 'national' costume, which is for some purists a contentious issue, being largely the romantic creation of Augusta Hall (1802-96), better known as Lady Llanover, the wife of a nineteenth-century ironmaster. Seeing costume as a possible marker of Welsh identity, she persuaded her local women friends to wear the recommended outfit at *eisteddfodau* and other public occasions, thus creating

Parti Dawnswyr Nantglyn, gyda'r delynores Ffranses Môn Jones. Hwy oedd yr enillwyr yn Eisteddfod Genedlaethol Llanrwst, 1951.
Nantglyn folk-dancing group, with the harpist Ffranses Môn Jones, following their victory in Llanrwst National Eisteddfod, 1951.

Dawnswyr Cwm Rhondda mewn gwisg frethyn draddodiadol.
Dawnswyr Cwm Rhondda in traditional flannel costumes.

Offerynwyr cwmni dawns Ffidl Ffadl, Ynys Môn, yn gwisgo copïau ffyddlon o wisgoedd hanesyddol.
Musicians from Ffidl Ffadl dance group, Anglesey, wearing faithful reproductions of historical costumes.

Dawnswyr Môn.

Dawnswyr Nantgarw.

Cerddorion Cwmni Dawns Werin Caerdydd.
Musicians from Cwmni Dawns Werin Caerdydd.

gymeradwyai mewn eisteddfodau ac ar achlysuron cyhoeddus eraill, gan dwyllo pobl o'r tu allan fod y wisg yn gyffredin drwy Gymru. Y wisg gyflawn oedd pais wlanen o dan fetgwn gwlanen wedi'i agor yn y tu blaen, ynghyd â ffedog, siôl a chap. Er ei bod yn seiliedig ar ddillad a wisgid gan ferched yng nghefn gwlad Cymru ar ddechrau'r ddeunawfed ganrif, nid oedd dim yn ei chylch a oedd yn gynhenid Gymreig, gan i ddillad tebyg gael eu gwisgo ar hyd a lled Prydain. Nid yw'n ddelfrydol ar gyfer dawnsio chwaith, yn enwedig mewn tywydd poeth, gan ei bod yn drwm a beichus (ac yn llafurus i'w golchi rhwng perfformiadau). Serch hynny, mae gan bob parti dawns cyfoes wisg sy'n seiliedig ar y patrwm hwn, er bod y manylion a'r defnyddiau yn amrywio'n fawr. Ni roddodd Arglwyddes Llanofer fawr ddim sylw i wisg dynion, er iddi gynllunio dillad ar gyfer un o'i thelynorion, Thomas Gruffydd.

Mae'r dystiolaeth a gafwyd gan lygad-dyston am

the illusion for outsiders that this was indeed a widely-worn national dress. Consisting of a flannel petticoat under an open-fronted flannel bedgown, with an apron, shawl and cap, it was based on clothing worn by Welsh countrywomen during the early nineteenth century, but in fact had nothing intrinsically Welsh about it, similar garments being known right across Britain. It is also not ideal for dancing, especially in hot weather, being both heavy and cumbersome (and laborious to wash between performances!). Nevertheless, all contemporary folk-dance groups have a costume based on this stereotype in their wardrobes, although there have been variations and adaptations in pattern and materials. Lady Llanover paid little attention to men's dress, although she did design a costume for one of her harpists, Thomas Gruffydd.

Eye-witness accounts of early dancers provide invaluable descriptions of the garments worn.

Rhai o wisgoedd dawns Cwmni Dawns Werin Caerdydd, wedi'u seilio ar wisgoedd yng nghasgliad
Amgueddfa Werin Cymru.
Dance costumes worn by Cwmni Dawns Werin Caerdydd, based on originals at the
Museum of Welsh Life.

ddillad y dawnswyr yn amhrisiadwy. Yn ôl Mrs Margretta Thomas, byddai dawnswyr Dawns y Pelau, un o ddawnsfeydd Nantgarw a gâi ei pherfformio yn ffeiriau Tongwynlais a Chaerffili, yn gwisgo gwisg Gymreig, gan gynnwys het. Byddai pob dyn yn gwisgo pelen amryliw ar ei arddwrn chwith a phob menyw yn gwisgo un ar ei harddwrn dde, a byddai rhubanau coch, gwyn a gwyrdd hir wedi'u cysylltu â'r peli.[1] Ar gyfer dawns arall, Rali Twm Siôn, cofiai fel y byddai'r dynion yn gwisgo closau pen-glin sidan, cotiau gwyrdd a chapiau melyn wedi'u brodio, pob un ohonynt wedi'i addurno â chlychau; felly hefyd sgertiau coch, gwregysau gwyrdd a blowsus a chapiau melyn y menywod.

According to Mrs Margretta Thomas, when performing *Dawns y Pelau* (The Ball Dance), one of the Nantgarw dances, at Tongwynlais and Caerphilly fairs, dancers sported 'their Welsh costume, hat and all, and on the left wrist of each man and the right wrist of each woman there was elastic with a small multi-coloured ball on it and long red, white and green ribbons hanging from the balls'.[1] For another dance, *Rali Twm Sion*, she recalled that the men wore satin knee-breeches, green tunics, and embroidered yellow caps, all three garments decorated with bells, as were the women's red skirts, green belts and blouses and yellow caps. Her less-detailed descriptions for some of

Mae ei disgrifiadau o'r dillad a wisgid ar gyfer dawns-feydd eraill yn llai manwl a gellir eu dehongli mewn sawl ffordd. Ar adegau ni chynigir fawr ddim gwybo-daeth (er enghraifft, cyfeirir at ffrog wen lawn,[2] a dim mwy, ar gyfer Dawns Gŵyl Ifan).

Roedd y dawnswyr a gymerai ran weithiau yn nefod y Fari Lwyd a'r rheini a berfformiai'r Cadi Ha' yn adnabyddus am eu dillad unigryw. Câi penglog ceffyl y Fari Lwyd, wedi'i haddurno â rhubanau a chlychau i roi rhybudd bod yr orymdaith ar fin cyrraedd, ei dal ar bolyn wedi'i orchuddio â chotwm gwyn a guddiai'r cludwr oddi tano. Byddai'r cymeriadau gŵr-a-gwraig doniol a berfformiai weithiau yn y ddwy ddawns (sef Pwnsh a Siwan yn nefod y Fari Lwyd a'r Ffŵl a Cadi gyda'r Cadi Ha') yn gwisgo dillad lliwgar er mwyn denu sylw a phwysleisio eu cyfraniadau bywiog at y ddefod.

Yn ystod y blynyddoedd diwethaf mae amryw o wisgoedd modern wedi cael eu creu i gyd-fynd â dawns-feydd newydd. Aeth rhai partïon yn bellach byth, gan wisgo dillad modern, megis jîns a chrysau T, wrth berfformio dawnsfeydd o'r ddeunawfed gan-rif a'r bedwaredd ganrif ar bymtheg hyd yn oed. Nid yw'n syndod bod hyn yn peri pryder i'r puryddion, sy'n ofni y bydd hen batrymau'n diflannu am byth wrth i wisgoedd gael eu moderneiddio. Rhai datbly-giadau cyfoes yw gwneud dillad o ddefnyddiau ysgafnach na'r wla-nen drom arferol, cyflwyno gwis-goedd mwy lliwgar i greu argraff gryfach ar y llwyfan, a chael yr un wisg i'r parti cyfan fel arwydd o hunaniaeth. Mae amrywiaeth barn ar yr angen i fod yn hanesyddol gywir - er ei bod yn well gan rai gadw'r dillad tradd-dodiadol, mae eraill yn credu y dylai'r gwisgoedd newid wrth i'r dawnsfeydd eu hunain newid a datblygu.

the dances, however, leave room for interpretation, while on some occasions she offered only the bare minimum of information concerning dress (for example, the 'very full white frock'[2] required for the Dance of St John's Eve).

The dancers occasionally involved in the Mari Lwyd ritual and those performing the Cadi Ha' were noted for their distinctive clothing. The horse's skull of the Mari Lwyd, decked with ribbons and bells to sound its arrival, was held on a pole and covered with a white cotton cloth which almost hid the carrier underneath. The comical man-and-wife characters sometimes found in both dances (namely Pwnsh and Siwan in the former and Fool and Cadi in the latter) wore bright garments designed to capture attention and highlight their lively contributions to the ritual.

The creation of several new dances in recent years has been accompanied by an array of modern costumes far removed from those considered traditional. Some groups are not averse to step-ping out in present-day apparel, even to the extent of sporting jeans and T-shirts to perform eighteenth and nineteenth cen-tury dances. Not surprisingly, this has raised cries of anguish from purists, who are alarmed in case the old designs will be lost forever. Contemporary innovations have included the replacement of heavy flannel by lighter materials, and the introduction of more colourful costumes to create a stronger impression on stage. Uniformity of dress, and the style and materials adopted, have become markers of team identity. Attitudes vary as to how far costumes should be historically correct, for while some prefer to retain traditional dress others believe that costumes should alter as the dances themselves change and develop.

Un o ddawnswyr haf Cwmni Dawns Werin Caerdydd.
A summer dancer from Cwmni Dawns Werin Caerdydd.

*Croen y ddafad felan
Tu gwrthwyneb allan;
Troed yn ôl a throed ymlaen -
A ph'run sydd olaf rwan?*

Traddodiadol / Traditional

Ar ôl ennill ei le ar y llwyfan cenedlaethol, daeth dawnsio gwerin yng Nghymru yn gyfrwng ar gyfer hybu balchder cenedlaethol ac ar gyfer uniaethu â diwylliant Cymreig a'i ddangos drwy'r byd. Ers ffurfio Cymdeithas Ddawns Werin Cymru, mae poblogrwydd dawnsio gwerin wedi tyfu, ac arwydd o'i lewyrch presennol yw'r ffaith fod o leiaf bum parti ar hugain yn bod ar hyn o bryd. Yn ystod y blynyddoedd diwethaf cyhoeddwyd dawnsfeydd megis Dawns y Pistyll, Sawdl y Fuwch, Pont Caerodor a Tŷ Coch Caerdydd, sydd oll wedi'u seilio ar y patrymau traddodiadol a geir yn llythyrau Llangadfan a ysgrifennwyd yn y ddeunawfed ganrif. Datblygwyd eraill i adlewyrchu themâu cyfoes. Mae dawns Pont Cleddau, a grewyd ym 1976 gan E. Cicely Howells, hyfforddwr dawnswyr Glancleddau yn Hwlffordd, yn cyfleu prysurdeb y traffig dros afon Cleddau, tra bo Ffair Castell Nedd, gan Mavis Williams (1994), yn portreadu ceir clatsio ac olwynion mawr y ffair. Mae'r duedd i foderneiddio i'w gweld ar agweddau eraill o'n dawnsio gwerin hefyd - yn aml offer electronig megis yr allweddell a glywir yn gyfeiliant iddo erbyn hyn, a gwelwyd defnyddio pêl-droed yn lle cannwyll ac ysgub yn nawns y glocsen.

Dylanwad hynod o bwysig ar ddatblygiad dawnsio gwerin yw'r eisteddfod, lle mae timau ac

Aelod ifanc o gwmni Dwy Droed Chwith yn stepio.
A young clog dancer from the Dwy Droed Chwith dance company.

Having been transplanted into the world of stage performance, folk dancing in Wales has become a means of boosting national pride, of identifying with Welsh culture and displaying it across the globe. Since the formation of the WFDS, folk dancing has grown in popularity, and the fact that there are now over twenty-five parties in existence illustrates its current healthy state. Recent years have seen the publication of dances such as *Dawns y Pistyll, Sawdl y Fuwch, Pont Caerodor* and *Tŷ Coch Caerdydd*, all based on traditional patterns included in the eighteenth-century Llangadfan letters. Others have advanced further in their contemporary character. The *Pont Cleddau* (Cleddau Bridge) dance, choreographed in 1976 by E. Cicely Howells, tutor of the Glancleddau dancers of Haverfordwest, conveys the bustle of traffic on and over the Cleddau river, while *Ffair Castell Nedd* (Neath Fair) by Mavis Williams (1994) depicts fairground dodgems and big wheels. Modernisation has pervaded musical accompaniment, now often provided by electronic instruments such as the keyboard. It has also transformed clog dancing, where footballs have occasionally taken the place of candles and broomsticks.

The development of folk dancing has been profoundly influenced by the *eisteddfod*, in which teams and

51

unigolion o bob rhan o'r wlad yn ymdrechu i ddod yn bencampwyr cenedlaethol a lle mae cystadleuwyr o bob oedran yn mentro i'r llwyfan i ddangos eu medrau. Fodd bynnag, er i'r eisteddfodau godi safonau drwy gystadleuaeth, mae rhai'n dadlau mai'r elfen gystadleuol hon, ynghyd â'r rheolau llym cysylltiedig, sy'n gyfrifol am ffurfioli'r dawnsio a mygu gwreiddioldeb. Cred llawer o ddawnswyr fod gorfod glynu wrth ganllawiau anhyblyg y beirniaid (a osodwyd i sicrhau cysondeb a chwarae teg) yn cyfyngu ar eu rhyddid i fynegi eu hunain. Bid a fo am hynny, erys yr eisteddfod yn gyfrwng amhrisiadwy ar gyfer hysbysebu a hyrwyddo dawnsio gwerin, drwy alluogi'r dawnswyr i berfformio o flaen cynulleidfaoedd mawr yn y pafiliwn ac ar y teledu.

O ystyried poblogrwydd dawnsio gwerin ar hyd a lled Cymru ar hyn o bryd - sydd i'w weld yn y nifer fawr o bartïon, brwdfrydedd pobl ifanc yn Eisteddfod yr Urdd a'r Eisteddfod Genedlaethol, a dathliadau hanner can

individuals from across Wales strive to become national champions and entrants of all ages brave the stage to exhibit their skills. Ironically, however, while the *eisteddfod* has undoubtedly raised standards through the spur of competition, it is precisely this competitive element, with its accompanying stringent rules, which has been blamed for formalising dance and stifling its spontaneity. Dancers often view the judges' insistence on adhering to rigid guidelines (in order to secure levels of constistency and fair play) as a limitation upon originality and personal flair. Whichever the case, the *eisteddfod* remains invaluable in publicising and promoting folk dancing, by delivering performances to packed pavilions and large television audiences.

Given the present popularity of folk dancing throughout Wales - reflected by the existence of more groups than ever before, a strong youthful contingent at *eisteddfodau* and the fiftieth anniversary

Bethan Williams-Jones a Lowri Walton, dwy ddawnswraig ifanc o ardal Pont-y-pŵl.
Bethan Williams-Jones and Lowri Walton, two young dancers from the Pontypool area.

mlwyddiant Cymdeithas Ddawns Werin Cymru ym 1999 - mae pob rheswm dros gredu bod i ddawnsio gwerin ddyfodol disglair. Ar ôl iddo ddiflannu bron dan bwysau'r diwygiadau crefyddol, mae bellach wedi adennill ei le yng Nghymru ac yn agored i bobl o bob oed a chefndir i'w fwynhau. Mae dawnsio gwerin Cymreig yn ffynnu mewn cymdeithas fywiog sy'n newid yn gyflym, ac mae'r diddordeb a'r brwdfrydedd presennol yn awgrymu y bydd yn parhau'n llewyrchus am flynyddoedd i ddod.

celebrations of the WFDS in 1999 - there is every reason to be optimistic for its future. After its fall from grace as an object of attack from religious fanatics, folk dancing in Wales has regained its respectability and, regardless of the restrictions of age, language or gender, is an activity open and accessible to all. Welsh folk dance continues to flourish within a dynamic and changing society, and, judging by current interest and enthusiasm, seems set to thrive for many years to come.

Plant yn dawnsio yn Amgueddfa Werin Cymru, 1998.
Children dancing at the Museum of Welsh Life, 1998.

CYFEIRIADAU

Pennod 1
1. Crossley-Holland (1954: 159).
2. Giraldus Cambrensis (1806: 35-36).
3. Denholm-Young (1948: 265).
4. Am enghreifftiau gweler Lewis ac eraill (gol.) (1925: 55, 93), a Williams, Ifor (gol.) (1939: 142).
5. Pennant (1810: 243).
6. Warner (1798: 114).

Pennod 2
1. Jones, John & Davies, Walter (gol.) (1837: 314, 326).
2. Bachellery (gol.) (1950: 335-7).
3. Jones, T. Gwynn (1930: 161).
4. Williams, G.J. (1956-7: 101).
5. Davies, J.H. (gol.) (1909: 298).
6. Howse (1949: 80).
7. Evans, Thomas Christopher (1912: 221-225); *Dawns* (1961-2: 19).
8. Howells (1884: 135).
9. Trevelyan (1909: 258).
10. Phillips (1926: 64).
11. Hartland & Thomas (1913: 514).
12. Llawysgrif Amgueddfa Werin Cymru 3021, 60-1.
13. Bevan (1985: 11).
14. *Monmouthshire Beacon* (4 Tachwedd 1837).

Pennod 3
1. Dodd (1952: 13); Edwards, Ifan ab Owen (1929: 67).
2. Williams, G.J. (1954: 47-52).
3. Williams, G.J. (1956-7: 104-105).
4. Owen, Trefor M. (1994:101-12); Williams, Gwyn (1960-1: 12-16); Williams, W.S. Gwynn (1932: 114-119).
5. Owen, *op. cit.*, 93.
6. Davies, J.H. (1907: 242).

Pennod 4
1. Jenkins (1986: 39).
2. Jones, Edward (1802: xvi).
3. Davies, Ben (1927: 27).
4. Meredith Morris, *De Fidiculis* ('Famous Fiddlers'), Llawysgrif Amgueddfa Werin Cymru 2054/1, 144-5.
5. *Ibid.*, 159-62.
6. *Y Drysorfa* (Medi 1832) 21, 283.
7. Thomas (1973-4: 14).
8. Am fanylion gweler Williams, W.S. Gwynn (1932: 113); Cylchgrawn Cymdeithas Alawon Gwerin Cymru, 3.9, 69-74; *Dawns* (1976-77, 2-10).

Pennod 5
1. A.G.R., 'Folk Dance Revival in Wales', *South Wales News* (17 Mehefin, 1926).

Pennod 6
1. Am wybodaeth ar hanes cerddoriaeth werin Seisnig gweler: Kennedy (1964); Rust (1969); Sharp (1909).
2. Bowen (1989: 4).
3. Mellor (1935: 23-24).
4. Llawysgrif Llyfrgell Genedlaethol Cymru 171E.

REFERENCES

Chapter 1
1. Crossley-Holland (1954: 159).
2. Giraldus Cambrensis (1806: 35-36).
3. Denholm-Young (1948: 265).
4. For examples see Lewis and others (eds) (1925: 55, 93), and Williams, Ifor (ed.) (1939: 142).
5. Pennant (1810: 243).
6. Warner (1798: 114).

Chapter 2
1. Jones, John & Davies, Walter (eds) (1837: 314, 326).
2. Bachellery (ed.) (1950: 335-7).
3. Jones, T. Gwynn (1930: 161).
4. Williams, G.J. (1956-7: 101).
5. Davies, J.H. (ed.) (1909: 298).
6. Howse (1949: 80).
7. Evans, Thomas Christopher (1912: 221-225); *Dawns* (1961-2: 19).
8. Howells (1884: 135).
9. Trevelyan (1909: 258).
10. Phillips (1926: 64).
11. Hartland & Thomas (1913: 514).
12. Museum of Welsh Life manuscript 3021, 60-1.
13. Bevan (1985: 11).
14. *Monmouthshire Beacon* (4 November 1837).

Chapter 3
1. Dodd (1952: 13); Edwards, Ifan ab Owen (1929: 67).
2. Williams, G.J. (1954: 47-52).
3. Williams, G.J. (1956-7: 104-105).
4. Owen, Trefor M. (1994:101-12); Williams, Gwyn (1960-1: 12-16); Williams, W.S. Gwynn (1932: 114-119).
5. Owen, *op. cit.*, 93.
6. Davies, J.H. (1907: 242).

Chapter 4
1. Jenkins (1986: 39).
2. Jones, Edward (1802: xvi).
3. 'Thomas Price's Green Book', National Library of Wales manuscript 1464D.
4. Meredith Morris, *De Fidiculis* ('Famous Fiddlers'), Museum of Welsh Life manuscript 2054/1, 144-5.
5. *Ibid.*, 159-62.
6. *Y Drysorfa* (September 1832) 21, 283.
7. Thomas (1973-4: 14).
8. For details see Williams, W.S. Gwynn (1932: 113); Journal of the Welsh Folk-Song Society, 3.9, 69-74; *Dawns* (1976-77, 2-10).

Chapter 5
1. A.G.R., 'Folk Dance Revival in Wales', *South Wales News* (17 June, 1926).

Chapter 6
1. For information on the history of English folk dance see: Kennedy (1964); Rust (1969); Sharp (1909).
2. Bowen (1989: 4).
3. Mellor (1935: 23-24).

5. *Ibid.*

Pennod 7
1. Catherine Margretta Thomas, tâp AWC 74, recordiwyd 1955.
2. *Ibid.*
3. *Ibid.*
4. *Ibid.*

Pennod 8
1. Williams, Gwyn (1962-3, 4-7).
2. Eddie Thomas, tâp AWC 626, recordiwyd 1963.
3. Owen Huw Roberts, tâp AWC 8582, recordiwyd 1997.
4. Parry (1848: 69).
5. Williams, Alice E. (1985: 9).

Pennod 9
1. Gillespie (1974-5: 14).

Pennod 10
1. Griffith (1973: 127).
2. Gwyn Griffiths, tâp AWC 8626, recordiwyd 1998.
3. Alice E. Williams, tâp AWC 8577, recordiwyd 1997.

Pennod 11
1. Thomas (1973-4: 45).
2. *Ibid.*, 41.

4. National Library of Wales manuscript 171E.
5. *Ibid.*

Chapter 7
1. Catherine Margretta Thomas, MWL tape 74, recorded 1955.
2. *Ibid.*
3. *Ibid.*
4. *Ibid.*

Chapter 8
1. Williams, Gwyn (1962-3, 4-7).
2. Eddie Thomas, MWL tape 626, recorded 1963.
3. Huw Williams, MWL tape 8629, recorded 1998.
4. Parry (1848: 69).
5. Williams, Alice E. (1985: 10).

Chapter 9
1. Gillespie (1974-5: 14).

Chapter 10
1. Griffith (1973: 127).
2. Gwyn Griffiths, MWL tape 8626, recorded 1998.
3. Alice E. Williams, MWL tape 8577, recorded 1997.

Chapter 11
1. Thomas (1973-4: 45).
2. *Ibid.*, 41.

LLYFRYDDIAETH / BIBLIOGRAPHY

Bachellery, E. (ed.) (1950): *L'Oeuvre Poetique de Gutun Owain* (Paris: Champion).

Bevan, John (1985): 'Mabsant Llanbed', *Medel* 2, 11.

Blake, Lois (1972): *Traditional Dance and Customs in Wales* (Llangollen: Gwynn).

Blake, Lois (1965): *Welsh Folk Dance and Costume* (Llangollen: Gwynn).

Bowen, Robin Huw (1989): 'Interview with Robin Huw Bowen', *Y Delyn*, 5.4, 4-8.

Crossley-Holland, Peter (1954): 'Wales', in Blom, Eric (ed.), *Grove's Dictionary of Music and Musicians* (London: Macmillan), 159-71.

Davies, Ben (1927): *Crugybar* (Crugybar: The Church).

Davies, J.H. (ed.) (1907 and 1909): *The Letters of Lewis, Richard, William and John Morris of Anglesey (Morrisiaid Môn), 1728-1765, vols.1 and 2* (Aberystwyth: The Editor).

Denholm-Young, N. (1948): 'The Tournament in the Thirteenth Century', in R.W. Hunt [*et al.*] (eds.), *Studies in Medieval History Presented to Frederick Maurice Powicke* (Oxford: Clarendon Press), 241- 68.

Dodd, A.H. (1952): *Studies in Stuart Wales* (Cardiff: University of Wales Press).

Edwards, Ifan ab Owen (1929): *Star Chamber Proceedings Relating to Wales* (Cardiff: University Press Board).

Evans, Thomas Christopher (1912): 'Yr Hen Gymry a'r Dawns', *Cymru*, XLII, 221-5.

Fletcher, Ifan Kyrle (December, 1929): 'A Note on the Dances of Wales', *Dancing Times*, 285, 288.

Gillespie, Gwennant (1974-5): 'What the Urdd owes to Mrs Blake', *Dawns*, 12-14.

Giraldus Cambrensis (1806): [*Itinerarium Cambriae*] *The Itinerary of Archbishop Baldwin through Wales;* translated by R.C. Hoare, (London: W. Miller, 1806, 2 vols).

Griffith, R.E. (1971-73): *Urdd Gobaith Cymru: 1922-1945; 1946-60; 1961-72.* 3 cyfrol (Aberystwyth: Cwmni Urdd Gobaith Cymru).

Hartland, M.E., & Thomas, E.B. (1913): 'Breconshire Village Folklore', *Folk-Lore*, 24.4, 505-17.

Howells, John (1884): 'The Glamorgan Revel', *The Red Dragon*, 5, 130-9.

Howse, W.H. (1949): *Radnorshire* (Hereford: E.J.Thurston).

Hutton, Ronald (1994): *The Rise and Fall of Merry England: The Ritual Yea , 1400-1700* (Oxford: OUP).

Jenkins, D.E (1910): *The Life of the Reverend Thomas Charles of Bala*, 3 vols (Denbigh: Llewellyn Jenkins).

Jenkins, Philip (1986): 'Times and Seasons: The Cycles of the Year in Early Modern Glamorgan', *Morgannwg*, 30, 20-41.

Jones, Edward (1802): *The Bardic Museum of Primitive Literature* (London: Strahan).

Jones, John & Davies, Walter (eds) (1837): *Gwaith Lewis Glyn Cothi: The poetical works of Lewis Glyn Cothi* (Oxford: Cymmrodorion, or Royal Cambrian Institute).

Jones, T. Gwynn (1930, reprinted 1979): *Welsh Folklore and Folk-Custom* (Cambridge: D.S. Brewer).

Kennedy, Douglas (1964): *English Folk Dancing Today and Yesterday* (London: Bell).

Lawson, Joan (1967): *European Folk Dance* (London: Pitman).

Lewis, Henry ac eraill (gol.) (1925): *Cywyddau Iolo Goch ac Eraill, 1350-1450* (Bangor: Evan Thomas).

Mellor, Hugh (1935): *Welsh Folk Dances: An Inquiry* (London: Novello).

Owen, Trefor M. (1960-62): 'An Early Nineteenth-Century Description of May-dancing in Flintshire', *Gwerin*, 3.4, 217-20.

Owen, Trefor M. (1959, reprinted 1994): *Welsh Folk Customs* (Llandysul: Gomer).
Palliser, David (1978): 'May Revels', *English Dance and Song*, XL.2, 74-5.

Parry, John (1848): *The Welsh Harper, vol.2* (London: D'Almaine).

Payne, F.G. (1964): 'Welsh Peasant Costume', *Folk Life, 2*, 42-57.

Pennant, Thomas (1810): *Tours in Wales* (London: Wilkie & Robinson).

Phillips, Thomas Richards (1926): *The Breconshire Border Between Wye and Usk* (Talgarth: D.J. Morgan).

Prydderch, Rhys (1714): *Gemmeu Doethineb*. (Y Mwythig [Shrewsbury]: Argraphwyd gan Tho. Durston tros D. Lewis a Christ Samuels.

Rust, Francis (1969): *Dance in Society* (London: Routledge & Kegan Paul).

Saer, D. Roy (1969): 'Delweddaeth y Ddawns Werin a'r Chwaraeon Haf ym Marwnad Guto'r Glyn i Wiliam Herbart', *Trafodion Cymdeithas Anrhydeddus y Cymmrodorion*, 265-83.

Saer, D. Roy (1983-4): 'Traditional Dance in Wales during the 18th Century', *Dawns*, 5-24.

Sharp, Cecil J. (1909-11, reprinted 1972): *The Country Dance Book: Parts 1 and 2* (Wakefield: E.P. Publishing).

Shaw, Pat (1966): 'The English Country Dance', *English Dance and Song*, 28.2, 50-1; 28.3, 66-9; 28.4, 100-2.

Thomas, Ceinwen H. (1973-4): 'Inaugural Address of the Easter Course', *Dawns*, 10-22.

Thomas, Ceinwen H. (1973-4): 'Nantgarw Dances (A Translation)', *Dawns*, 37-53.

Trevelyan, Marie (1909): *Folk-lore and Folk-stories of Wales* (London: Stock).

Warner, Richard (1798): *A Walk through Wales in August 1797* (Bath: printed by R. Cruttwell: sold by C. Dilly, London).

Williams, Alice E. (1985): *Llawlyfr Dawnsio Gwerin Cymru / A Welsh Folk Dancing Handbook* (Caerdydd / Cardiff: Cymdeithas Ddawns Werin Cymru).

Williams, G.J. (1956-7): 'Glamorgan Customs in the Eighteenth Century', *Gwerin, 1*, 99-108.

Williams, G.J. (1954): 'William Robert o'r Ydwal', *Llên Cymru*, 3/1, 47-52.

Williams, Gwyn (1960-1): 'Dawnsio Haf / Summer Dancing', *Dawns*, 12-16.

Williams, Gwyn (1962-3): 'Dawnsio mewn Clocsiau', *Dawns*, 4-7.

Williams, Huw (1987): *Welsh Clog/Step Dancing* (Griffithstown: Huw Williams).

Williams, Ifor (gol.) (1939): *Gwaith Guto'r Glyn* (Caerdydd: University Press Board).

Williams, W.S. Gwynn (1932): *Welsh National Music and Dance* (London: Curwen).

Wynne, Ellis (1898): *Gweledigaetheu y Bardd Cwsc* (Bangor: Jarvis & Foster).